ViVo

Café

Destiny

PIMEDIA

Café Destiny (novel)
Vi Vone
Hak Cipta © Vi Vone

Penyunting: Ikhwanul Halim
Desain Sampul& Tata Letak: Tim PIMEDIA

Diterbitkan oleh PIMEDIA Bandung
Cetakan pertama, 2023
119 halaman (vi+103)

Dicetak oleh PIMEDIA Bandung.

Leony tak menyadari jika senior di tempatnya yang terkenal jutek itu mampu membuat hatinya bertalu lebih cepat. Sama seperti ketidaktahuannya tentang Ikhsan, seniornya yang begitu berusaha untuk menjaganya dari celaka akibat teror yang dialaminya di banyak malam melalui mimpi yang sama, bahkan sebelum mereka saling menemukan. Hingga kemudian takdir mempertemukan mereka.

Daftar Isi

Café i
Daftar Isi iv
Satu 1
Dua 4
Tiga 6
Empat 8
Lima 10
Enam 12
Tujuh 15
Delapan 17
Sembilan 19
Sepuluh 22
Sebelas 24
Dua Belas 26
Tiga Belas 28
Empat Belas 30
Lima Belas 33
Enam Belas 35
Tujuh Belas 37
Delapan Belas 39
Sembilan Belas 42
Dua Puluh 44
Dua Puluh Satu 47
Dua Puluh Dua 49
Dua Puluh Tiga 51
Dua Puluh Empat 53
Dua Puluh Lima 55
Dua Puluh Enam 57
Dua Puluh Tujuh 59
Dua Puluh Delapan 61
Dua Puluh Sembilan 64
iv

Tiga Puluh.. 66
Tiga Puluh Satu... 68
Tiga Puluh Dua 71
Tiga Puluh Tiga 74
Tiga Puluh Empat...................................... 76
Tiga Puluh Lima 78
Tiga Puluh Enam 81
Tiga Puluh Tujuh 83
Tiga Puluh Delapan................................... 86
Tiga Puluh Sembilan 89
Empat Puluh.. 91
Empat Puluh Satu...................................... 94
Empat Puluh Dua 97
Empat Puluh Tiga 100
Empat Puluh Empat...................................103
Empat Puluh Lima 106
Empat Puluh Enam 109
Tentang Penulis 113

Satu

"Woy, lihat apaan?" Deni, menggoyangkan kelima jarinya di depan wajah Leony, mengganggu fokusnya yang sedikit melambung.

"Eh ... gak ada, Kak. Maaf." Leony menghindar dan berusaha menjauh menuju dapur. Mengingat dia baru bekerja seminggu di kafe ini, sungguh tak ingin jadi pusat perhatian, apalagi sampai mendapatkan hukuman. Itu hal yang paling tak diinginkannya.

Dengan segera dia meninggalkan Deni, kapten waiter yang masih menatapnya tak mengerti.

Leony tak memungkiri jika dia teramat suka melihat cowok tinggi, apalagi dengan kemeja hitam, membuatnya takkan bisa buru-buru berpaling. Siapapun dia. Bahkan Pak Haji di ujung gang ketika mengenakan kemeja hitam, Leony akan sepenuh hati merelakan pandangannya hingga jenggot dan uban putihlah yang menyadarkannya. Bukan. Pak Haji sudah melewati batas kelayakan sebagai sosok yang dijadikan idaman, kecuali kesalehannya.

Tak ada yang tahu itu, apalagi Rini si bawel, sahabatnya dari SD. Bisa dibilang 'sakit' kalau sampai dia tahu Leony punya kebiasaan se-*freak* itu. Dia memutuskan membawa rahasia itu sampai mati.

***

Sudah sebulan Leony bekerja di Café Destiny, tapi masih saja dia belum terbiasa. Melihat kaptennya yang mondar mandir dengan tubuh menjulang, mengenakan kemeja hitam dengan lengan tergulung hingga menuju siku. Siksaan yang berat bagi seorang Leony. Dia sama sekali tak pernah memperhitungkan jika apa yang disukainya akan menjadi hal yang menyiksa.

Dia sama sekali tak pernah membayangkan jika kemeja hitam akan jadi seragam sehari-hari, ini sekaligus serangan bagi kedua bola matanya selama dia bekerja.

Kebayang kan, jika salah satu kapten atau supervisor bahkan manager kemudian menanyai Leony dengan pertanyaan umum, seperti, "Persiapannya sudah selesai?" tapi di kepala dan telinganya seolah terdengar romantis, seperti, "Kamu sudah makan?"

Leony bahkan harus menggelengkan kepala berulang-kali demi menolak halu yang sedang bermain di kepalanya. Dia menganggap itu sebagai bencana di awal dia bekerja, seminggu yang lalu.

"Kamu sudah makan?"

Kan, bener, kan? Pertanyaan itu sampai terasa nyata terngiang di kepalanya. Leony refleks melihat ke sumber suara, menemukan Deni sedang menatapnya. Tak bisa lain kecuali terkejut setengah mati. Seketika dia mengelus dada, memeriksa jantungnya masih di tempatnya.

"Woy, bengong mulu. Udah makan, belum?" tanya Deni dengan nada tinggi. Leony yang cerdas meski terkesan introvert tak akan kehilangan cara untuk mengelak.

"Belum, Kak," sahutnya sambil menata ulang sendok di laci yang sejak pagi sudah rapi. Leony berlalu sambil menatap lantai, "Permisi, Kak."

"Kamu makan dulu, saya gantiin di sini. Jangan lama-lama." Deni bersuara sambil melipat serbet mengubahnya jadi bunga.

Leony menatap nanar pada bunga serbet. Khayalannya melambung, bunga itu berubah jadi cantik dan seseorang mengulurkannya padanya, sosok seperti Deni mungkin.

"Bengong lagi! Kesambet loh, ntar. Buruan sana! Jangan sampai saya berubah pikiran." Deni menegur Leony sedikit keras. Leony yang tersentak sekali lagi segera mengangguk dan melesat. "Siap, Kak!"

Leony kabur bersama dag-dig-dug yang terlalu gaduh sepanjang jalan menuju tempat makan.

Dua

Café Destiny terlihat ramai. Leony sedari sore sudah wira-wiri ratusan kali untuk mengambil dan mengantar pesanan. Prita di meja kasir senyum-senyum. Untung hari itu dia dapat giliran menunggu meja kasir, jadi tak harus bercapek-ria bersama Leony.

"Semangat!" Prita memasang senyum jahil ke Leony yang dibalas dengan monyong yang kesekian senti. Prita memang suka usil, tapi itu sama sekali tak mengganggu. Prita baik, cantik, suka mentraktirnya es sirup plus soda, minuman favoritnya ketika usai bekerja.

Akhirnya, tamu terakhir sudah meninggalkan tempat parkir. Kursi-kursi sudah terangkat.

Tercium aroma segar pewangi lantai. Kali ini Robi yang mengepel, Soleh mencuci piring, Kiara merapikan laci. Di sudut ruangan, terlihat Prita sedang menekan tombol-tombol di mesin penghitung, merekap hasil penjualan hari ini. Kapten Deni duduk menulis laporan di depannya.

Leony menenteng dua plastik besar hitam menuju tong sampah di belakang. Tiba-tiba seseorang merampas kantong-kantong itu seketika, Leony yang terkejut tak bisa berbuat banyak, ketika melihat plastik sampah itu sudah berpindah tangan. Dilihatnya Ikhsan berjalan melewatinya menuju tong sampah.

"Kalau buang sampah jangan sendirian, kecuali kamu cowok." Suara dingin itu keluar ketika cowok itu melewati Leony yang masih mematung. Tersadar dari kebengongan yang kesekian, Leony hanya bisa berteriak, "Makasih, Kak!"

Ikhsan termasuk seniornya yang amat dihindarinya. Bukan apa-apa, Ikhsan tak banyak bicara. Dia hanya berkata seperlunya. Tak suka bercerita, bahkan dengan sesama angkatan senior. Dia seolah punya dunianya sendiri. Leony tak berusaha mendekatinya, karena memang tak perlu.

Sebelum pulang Kapten Deni mengumpulkan semuanya.

"Terima kasih, semuanya sudah bekerja keras. Good job! Besok yang shift pagi ada tugas belanja. Karena pengiriman dari pusat sedang berhalangan. Besok siapa yang masuk pagi?"

Deny mengedarkan pandangan. Sebenarnya dia hafal jadwal siapa saja yang masuk pagi dan malam, hanya sekadar mengecek anak buahnya, mereka melihat jadwal atau tidak.

"Saya, Kak!" Leony mengangkat tangan. Soleh menambahkan, "Ikhsan juga, ya kan, San?"

Ikhsan hanya mengangguk lalu beralih melihat Deni.

"Aku juga pagi, tapi sudah ada tugas bersihin kulkas sama Mbak Rita." Robi menimpali. Mbak Rita bertugas sebagai manager sekaligus keponakan *owner*. Orangnya tegas, tapi penyayang.

"Oke. Berarti yang belanja bahan Ikhsan sama Leony. Jangan lupa minta uang dan catatan belanja ke Prita sebelum pulang. Oke, terima kasih semuanya. Silakan pulang. Hati-hati di jalan." Kapten menutup rapat kecil itu lalu memastikan Prita menyerahkan uang belanja sebelum benar-benar bergegas pulang.

Tiga

Akhirnya, Leony sampai di rumah. Hanya ada ibu yang menunggunya pulang. Tio, adiknya juga pasti sudah tidur. Ibunya segera pergi ke kamarnya setelah memastikan Leony sudah makan malam.

Usai mandi, Leony baru bisa merasakan nikmatnya tempat tidurnya yang nyaman. Hari ini memang melelahkan, tapi dia tak mengeluh. Pekerjaannya sangat menyenangkan.

Dia selalu merasa bahwa dirinya termasuk kaum introvert, karena tak begitu suka berbaur dengan keramaian. Tapi keterpaksaannya memasuki dunia *food and beverages* demi sebuah pekerjaan membuatnya bisa menemukan dirinya yang lain. Aneh memang, tapi dia suka.

Ternyata dia tidak se-introvert itu. Pemalu mungkin, karena memang Leony tak mudah untuk memulai interaksi. Tapi fakta bahwa dia kini baik-baik saja setelah empat bulan bekerja di sana, itu membuktikan bahwa dia berkembang. Leony bahkan mulai menikmatinya.

Mengingat besok harus belanja, dia berusaha segera lelap. Tapi satu hal yang membuatnya sedikit susah melepaskan kesadarannya.

Ikhsan.

Andai saja ada hal yang membuatnya tak harus pergi bersama seniornya itu ….

***

"Naik." Ikhsan mengulurkan helm yang dibawanya untuk Leony. Kata-kata yang tegas dan singkat membuat Leony bergegas naik ke Vario 150 hitam doff yang dikendarai Ikhsan.

Sejak dua bulan yang lalu Mio merah yang biasa menemaninya bekerja sudah dilimpahkan ke Tio sebagai kendaraan pengantar ke sekolah. Pulangnya bisa untuk mengantar ibunya jika diperlukan. Itulah pertimbangan Leony, sehingga dia mengalah pergi kerja naik angkutan umum. Toh naiknya hanya sekali, tak terlalu merepotkan. Dia bahkan bisa bersantai dan sesekali tertidur dalam perjalanan.

Namun ini kali pertama dia dibonceng laki-laki selain Tio. Dia merasa introvertnya kumat, hanya diam sepanjang perjalanan tak berusaha mencari bahan pembicaraan. Apalagi Ikhsan. Seniornya itu tampak dingin, tak terganggu sama sekali dengan suasana hening yang sedang berpesta di tengah mereka.

Sampailah mereka di sebuah pasar grosir modern. Sayuran yang dijual di sana sudah terbukti berkualitas bagus.

Ikhsan berjalan mendahului. Leony setengah berlari mengikuti langkah seniornya yang panjang dan cepat. Ikhsan bergegas menuju kios yang sudah menjadi langganan kafe mereka. Penjaganya terlihat mengenali Ikhsan, bertanya-tanya sedikit tentang perkembangan   kafe.

Café Destiny memang dulu pelanggan di kios ini. Bahkan mereka secara khusus bersedia mengantarkan belanjaan langsung ke kafe. Hanya tinggal telpon dan memesan apa saja yang diperlukan mereka akan segera mengantarkan sampai tujuan.

Namun setelah kafe berkembang, kantor pusat yang mengambil alih penyuplaian langsung bahan-bahan segarnya. Tapi mereka tetap menjadi kios yang pertama dituju jika pusat sedang berhalangan, seperti sekarang.

"Sudah semua?" Ikhsan bertanya sambil mencocokkan daftar dari Prita dengan belanjaan yang ada dalam kantong plastik di tangannya. Leony menyebutkan satu per satu bahan sesuai catatan, Ikhsan memastikannya ada.

"Lengkap. Kita pulang."

Empat

"Lengkap. Kita pulang." Kata-kata Ikhsan tak menunggu jawaban. Dengan langkah panjang dia berlalu meninggalkan Leony di belakang. Belanjaannya yang lumayan berat membuat langkahnya tersendat.

Tas plastiknya sedikit tipis meninggalkan guratan merah di telapak tangannya. Mereka tadi mencari jamur sampai ke sudut, karena banyak yang kehabisan. Sepanjang itu dia harus menenteng plastik yang memuat belanjaan hingga meninggalkan jejak akibat beban dan genggamannya menguat.

"Sini." Ikhsan tiba-tiba merebut plastik belanjaan dari tangannya yang mulai perih. Leony tak bisa lain hanya mengikuti Ikhsan seperti anak ayam yang mengikuti induknya, sambil meminta maaf sudah merepotkan. Ikhsan hanya melangkah, tak berkata-kata.

Leony serba salah, dia benar-benar merasa tak enak jika mengabaikan seniornya yang membawa belanjaan sendiri begitu saja. Tapi dia pun sudah mencoba, minta maaf berulang kali meski tak ada respon yang diharapkan.

Emang ngarep respon kayak apa? Lagi-lagi hatinya bertanya. *Ah, sudahlah.*

Pukul 09.45 Leony sudah memakai seragam kerja. Jam kerja dimulai pukul 09.00 tapi dia sudah menggunakannya untuk tugas luar, belanja. Bahan-bahan yang dibelinya tadi pun kini sudah masuk ke lemari penyimpanan dan sebagian tertata rapi di kulkas yang tadi sudah dibersihkan Robi.

Ikhsan juga sudah menyerahkan nota dan perincian belanjaan pada kasir yang bertugas.

Kali ini Netty yang masuk pagi. Gadis ini seangkatan dengan Leony. Mereka masuk bersamaan, tapi Leony ditunjuk sebagai *waitress* dan Netty menjadi kasir. Prita yang lebih senior belum ditetapkan sebagai kasir resmi, hanya menggantikan kasir sebelumnya yang *resign*.

Mungkin karena kemampuan komunikasi Prita sangat bagus, sepertinya sayang kalau dia hanya ditugaskan sebagai kasir. Sesekali dia menggantikan Kapten Deni jika berhalangan. Terkadang juga jadi penerima keluhan pelanggan. *Job description* Prita terlalu luas. Intinya dia termasuk karyawan kesayangan karena tak pernah menolak ditugaskan di bagian mana saja.

Leony merasakan perih di telapak tangannya ketika mencuci peralatan. Saat itulah dia baru melihat telapak tangannya yang terluka. Plastik tipis dari pasar tadi ternyata tajam juga.

"Kamu, sini!" Sebuah suara laki-laki memanggil.

Leony melihat Ikhsan di dekat ruang *locker*. Dia ragu-ragu, apakah benar dia yang dipanggil. 'Kamu' kan bukan hanya dia.

"Saya, Kak?" tanya Leony memastikan.

"Iyalah, emang ada yang lain?"

Leony memastikan bahwa memang hanya ada dirinya di sana ... dan Ikhsan. Leony meyakinkan langkah menghampiri seniornya itu.

"Mana tanganmu?" Nada suaranya tak seketus tadi.

"Ini, Kak." Leony tak yakin tindakannya benar tapi tak ada pilihan lain. "Kenapa, Kak?" Ikhsan mengabaikan tanya dari gadis itu.

Leony mengulurkan tangannya pada Ikhsan, meski tak tahu apa yang akan seniornya ini lakukan. Tak ada rasa takut, seolah yakin semuanya baik-baik saja.

Ikhsan menyambut tangan Leony yang terulur. Sedikit menariknya, membuat Leony ikut terhentak.

Lima

Gadis itu ikut terduduk di samping Ikhsan, di bangku samping loker. Laki-laki itu meletakkan telapak tangan Leony di atas paha kirinya. Lalu dengan cekatan dia membuka bungkus plester luka berwarna krem, melekatkannya pada luka memanjang di telapak tangan Leony. Leony yang tertegun bahkan tak pernah membayangkan adegan ini akan ada di hidupnya, dengan Ikhsan sebagai pemeran utamanya.

"Done. Kamu gak usah antar pesanan dulu. Ntar saya yang bicara sama kapten." Ikhsan berkata tanpa melihat ke Leony. Usai bicara dia bangkit dan kembali ke ruangan *lounge* meneruskan pekerjaannya. Leony yang sempat terpaku hanya bisa menuruti perintah seniornya. "Ya, Kak."

Sebenarnya dia ingin bertanya tentang alasan dia tidak dibolehkan untuk mengantar pesanan. Dia teringat kejadian sebulan yang lalu Soleh pernah terluka dan dia pun dilarang melayani pembeli.

"Net, tau gak kenapa dulu si Soleh gak boleh ngelayani pelanggan pas tangannya terluka kena pintu. Waktu itu sempat berdarah terus diplester." Leony tak bisa menahan diri untuk tidak bertanya.

"Ya soalnya kalo keliatan ada luka atau plesteran di badan kita, terutama tangan dan wajah nanti pelanggan jadi ilfil. Tau ndiri, kan. Pelanggan adalah raja. Jadi untuk menghindari komplain, kita lebih baik mengalah, untuk sementara tidak menugaskan pegawai yang terluka di garis depan. Ya maksudnya di area penjualan yang berhubungan langsung dengan pelanggan. Setahuku, sih begitu." Netty menjelaskan panjang lebar.

"Ooh, gitu. Paham sekarang."

Masuk akal, sih. Leony manggut-manggut tanda mengerti.

Hari itu Leony benar-benar hanya bertugas di belakang, hingga mereka yang shift kedua datang. Itu artinya Leony bisa pulang jam lima. Kesempatan untuk istirahat. Setelah masuk malam lalu besoknya masuk pagi, rasanya seperti kerja lembur.

Kiara keluar dari loker dengan senyum lebar. Dia masuk sebagai pegawai hanya selisih dua minggu sebelum Leony bergabung. Itu menjadikannya 'senior muda' bagi Leony, meski mereka seumuran.

Kiara cukup asik orangnya. Sangat mengikuti perkembangan zaman. Sedikit pilih-pilih, atas apapun. Pekerjaan, makanan, mungkin juga teman. Dia terlihat enggan jika diharuskan melakukan pekerjaan yang remeh.

Leony baru menyadari bahwa Kiara hampir tak pernah dilihatnya membuang sampah.

"Eh, Kak Deni di mana?" tanyanya pada Netty. Leony masih menyelesaikan pekerjaannya mencuci cangkir kopi.

"Ke kantor pusat sama Mbak Rita." Netty menjawab setelah sekilas mengangkat kepalanya tersenyum pada Kiara lalu meneruskan pekerjaannya merekap penjualan untuk serah terima pada shift dua.

Wajah Kiara seketika berubah, kecewa. Setelah itu dia membalas Netty dengan satu kata singkat, "Ooh."

Netty tak mendengar, dia fokus pada waktu yang semakin mendekati waktu pulang. Tapi Prita belum juga datang.

Leony malah teringat adegan bersama Ikhsan di loker. Dia merasa wajahnya memanas. AC besar empat unit tak mampu membuat gerah di hatinya mereda.

Leony yang mendengar itu lalu iseng bertanya pada Kiara, "Ada perlu apa, sih?"

Kiara tak menjawab hanya melihatnya dengan pandangan aneh. Leony langsung tersadar, mungkin pertanyaannya terdengar ingin tahu alias 'kepo'. Dia bisa melihat Kiara tak menyukai itu.

"Maaf." Kata-kata itu terlalu mudah meluncur dari mulutnya.

"Kepo aja. Udah, yuk serah terima. Kamu mau pulang, kan?" Kiara mengalihkan pembicaraan.

Leony mengangguk seraya memberikan daftar menu dan apa saja yang bisa ditawarkan untuk malam ini.

Kiara menerima penjelasan Leony dengan wajah tak bersemangat. Leony bukan tak tahu, dia bahkan bisa menebak sebabnya. Apalagi kalau bukan karena Deni tak ada di sana.

Leony sangat tahu kalau Kiara begitu mengidolakan Deni, kapten mereka yang keren. Mungkin Leony pun sama, memandang Deni dengan pandangan terpesona. Tapi Leony tak cukup punya keberanian untuk tergila-gila dengan kaptennya itu, seperti Kiara. Apalagi dia sangat tahu, Deni tak menyukainya, karena dalam beberapa hal Leony dianggap lemot.

Entahlah, dia hanya merasa ketika berhadapan dengan laki-laki jangkung itu, seolah kecerdasannya menyusut. Semua sertifikat lomba matematika yang dipajang di dinding kamarnya seolah tak berarti apa-apa. Toh dia masih sering kena marah untuk hal yang remeh. Salah meletakkan sendok, misalnya. Atau salah cangkir. Harusnya reguler dan espresso itu berbeda. Masih banyak hal lainnya yang kalau disebutkan bisa sangat memalukan dunia persilatan … eh. Tapi dia termasuk pekerja yang sangat patuh, mereka mengakui itu.

***

Pukul 16.05 WIB.

Waktu pulang sudah lebih lima menit. Leony sudah siap menyandang tas setelah sebelumnya dia mengganti seragamnya. Tak lupa jaket dan topi, itu baju wajib jika dia hendak naik angkutan umum. *Safety Code,* dia menyebutnya. Kemudian berpamitan pada rekan shift sore sambil melambai seperlunya.

Kawan-kawan shift pagi sudah lebih dulu pulang, hanya Netty yang masih *stay*, menunggu Prita yang belum nampak juga. Ponselnya sudah dihubungi tapi tidak aktif. Netty terlihat mulai cemas. Entah karena harus lembur ataukah karena khawatir dengan Prita.

Leony pun jadi kepikiran, kenapa sampai sore Prita tak juga datang.

Ikhsan?

Tadi Leony sempat melihatnya buru-buru keluar setelah berbincang dengan kapten. Setelah itu dia tak melihatnya lagi.

Kenapa nama itu yang melintas, padahal dia sedang memikirkan Prita? Leony menggeleng, merasa dirinya mulai aneh.

Angkutan yang hendak dia tumpangi lewat di jalan raya depan Café Destiny. Tinggal menyeberang dia sudah bisa duduk manis menunggu angkutan lewat. Karena itu dia tak keberatan jika sepeda motornya beralih ke Tio.

Kendalanya cuma satu, calon penumpangnya terlalu banyak, jadi kadang suka berebut masuk angkutan. Tapi itu tak pernah jadi masalah besar bagi Leony. Dia akan dengan sabar menunggu angkutan berikutnya.

Saat itulah di seberang jalan, dia melihat seseorang yang dikenalnya turun dari boncengan motor Vario hitam. Leony melihat Prita turun, melepas helm lalu menyerahkannya pada pengendara yang mengantarkannya. Kemudian meninggalkan pengendara itu setelah melambai kepadanya.

Tidak hanya itu. Leony juga mengenali pengendara Vario hitam itu, kendaraan sama yang ditumpanginya ke pasar tadi pagi bersama ... Ikhsan.

Ikhsan ... Prita ...?

Tujuh

"Mbak, jadi nganter aku, gak?" Tio terlihat sudah siap berangkat usai sarapan. Sekarang dia sedang memakai sepatu.

"Yo, jadilah. Sepedanya mau mbak pake ke pasar, kok," sahut Leony dari dapur.

Dia mencuci piring dengan kecepatan cahaya, tak ingin adiknya terlambat karenanya. Lastri, ibunya sedang menyelesaikan jahitan-pesanan ibu-ibu PKK. Karena Leony masuk sore jadi dia berinisiatif membuat sarapan. Cuma nasi goreng, apa susahnya.

"Bu, Tio berangkat." Tio mencium punggung tangan ibunya. Lastri mengusap bahu anak laki-lakinya seolah mengusir debu yang hendak numpang sampai di tikungan.

"Hati-hati, ya, Nak." Tio mengangguk sambil memakai helm. Giliran Leony yang mencium tangan ibunya.

"Jadi masak lodeh kan, Bu?" tanya Leony sambil memainkan kunci motor.

"Ya, kan kamu yang masak. Terserah kamulah, Mbak. Lodeh boleh, ikan asap juga, boleh." Lastri tersenyum menggoda. Dia tahu sekali kesukaan anaknya, ikan asap sama sambal terasi pakai lalapan kemangi dan kenikir. Tapi dia juga tahu, menu spesial seperti itu hanya seru pas di hari libur. Karena bisa makan bersama dengan formasi lengkap, kecuali ayahnya.

"Ibu, nih. Pelanggaran. Belum jadwalnya." Leony tertawa sambil mengeluarkan motor ke halaman.

Syukurlah Tio tidak terlambat.

Leony bergegas memacu sepeda motornya ke arah pasar. Entah kenapa tiap kali melihat pasar, hatinya terasa hangat.

Seperti sekarang, langkah Leony terasa ringan memasuki pasar. Bahkan dia ikut bernyanyi lirih saat terdengar lagu dari pengeras suara salah satu kios di sana. Meski tak mau, ingatannya selalu kembali pada hari itu. Namun Leony tak ingin ambil pusing. Seperti biasa, dia tak ingin berlebihan.

Empat puluh lima menit kemudian Leony sudah sampai rumah. Dikeluarkannya belanjaan dan mulai memasak. Ada keinginan untuk mengecek ponsel. Tapi dibatalkannya, lebih baik segera eksekusi bahan biar dia bisa segera menikmati bersantai hingga waktunya kerja nanti. Rencananya begitu.

"Bu, gak pingin makan? Udah matang, tuh." Leony mendekat pada ibunya. Pandangan Lastri beralih ke putri sulungnya.

"Nanti aja lah, belum dhuhur. Masih jam sepuluh lebih," ujarnya sambil membersihkan benang-benang di jahitan yang sudah setengah jadi itu.

"Ya udah, nanti kalau Ibu pengen makan panggil aku, ya, kita makan bareng." Lastri hanya mengangguk sekilas.

"Aku ke kamar, ya, Bu."

"Ya."

Akhirnya, bisa merebahkan diri adalah salah satu kemewahan yang masih bisa dinikmatinya. Memeriksa ponsel, barangkali ada yang menghubunginya. *Sepi*. Tak ada apa pun.

Emang siapa yang kau harap, Onny? Pikirannya berargumen memenuhi kepala. Dilemparnya ponselnya di atas bantal. Tapi kemudian diambilnya lagi, lalu memutar musik dari alat itu lalu meletakkan di dekat kepala.

Terlihat plester di telapak tangannya. Lagi-lagi ingatan menariknya pada momen di ruang loker, tapi seketika buyar saat ingatan lain mengobrak-abrik tanpa ampun. Ingatan di mana Prita turun dari boncengan Ikhsan.

Ikhsan lagi ... Ikhsan lagi. Leony memilih menutup mata, dan membiarkan dirinya lelap barang sejenak.

Delapan

Setengah tiga sore Leony sudah sampai di tempat kerja. Usai bersih-bersih, Kiara segera melakukan serah terima. Tak banyak yang perlu diingat, artinya menu masih lengkap, tak perlu aksi khusus kecuali menawarkan menu spesial hari ini.

Netty masuk pagi. Tadi dia sempat berbisik bahwa Prita sedang bermasalah saat Leony baru saja hendak bertanya. Netty memberi kode dengan matanya agar Leony melihat ke arah yang dimaksudnya. Seperti yang Netty bilang, dia bisa melihat Kapten Deni berbicara dengan Prita di sudut biasanya mereka membuat laporan. Wajah keduanya tampak serius.

Tapi bukan itu saja yang mengulik keingintahuan Leony. Dia lebih penasaran kenapa bisa Ikhsan yang sedang bersamanya. *Wait ... bersamanya? Ikhsan?* Seketika perutnya terasa kram.

Bukan hal yang menyenangkan untuk dicari tahu. Itu sebabnya Leony memutuskan berhenti ingin tahu. Ini terlalu berat baginya. Seraya mengembalikan fokusnya pada pekerjaan, Leony menghibur diri dengan membuang sampah ke belakang.

Seperti dugaannya, Kiara tak menyentuh plastik sampah itu sama sekali. Bahkan hanya mengikatnya pun tidak. Kali ini Leony bersyukur atas sikap Kiara, dia jadi punya alasan. Rasanya lucu, baru kali ini dia butuh alibi hanya untuk menarik napas panjang.

Sampah di halaman belakang sedikit berantakan. Botol-botol terguling membuat Leony harus tinggal untuk merapikannya. Pikirannya entah ke mana, tapi tangan dan jari-jarinya begitu patuh merapikan semua pada tempatnya.

Done! Leony tersenyum puas dengan hasil karyanya. Saatnya kembali ke dunia nyata.

Ketika Leony kembali ke area kafe, dilihatnya Prita sudah berdiri di depan meja kasir, tak dilihatnya Netty di sana. Berarti dia sudah pulang. Leony merasakan atmosfer yang berbeda. Tegang dan hening.

Leony pun enggan bertanya, tak ingin lagi dibilang kepo. Kata-kata Kiara kemarin ampuh juga membuatnya tak lagi ingin tahu. Terlebih pemandangan di waktu pulang. Leony sama sekali enggan untuk tahu.

"On, nanti tolong napkin dicek ya, mumpung belum rush hour," suara Prita berbicara dengannya.

"Siap!" jawab Leony singkat sambil meluncur ke laci napkin dan mengeluarkan beberapa darinya lalu mulai berkeliling memeriksa satu per satu meja tamu. Tak hanya napkin, Leony juga mengecek set up tiap meja, sudah sesuai atau belum.

Leony menikmati pekerjaannya. Jika tadi dia sempat terlihat tak bersemangat, tapi jika sudah menyangkut pekerjaan, dia sangat profesional. Tak masalah jika dia melakukan kesalahan, karena dari situ dia bisa belajar dengan benar.

Dengan langkah yakin dia berkeliling namun sejenak terganggu kala dilihatnya Ikhsan berada di depan mesin kopi. Leony sempat hendak berbalik, tapi dia tak mau terlihat konyol. Akhirnya dia berjalan memutar, ketika dilihatnya Ikhsan sibuk memeriksa tempat cream.

Sebentar ... kenapa dia harus menghindar? Kau memang o'on, Onny.

Sembilan

Sebentar ... kenapa dia harus menghindar? *Kau memang o'on, Onny.*

Leony merasa jadi pecundang. Dia mengatai dirinya bodoh. Padahal kalau dipikir, dia tak melakukan kesalahan. *Kenapa harus menghindar?* Terlambat untuk mundur ketika terdengar suara Prita di belakangnya.

"Kamu ngapain, sih? Gak jelas. Tuh ada tamu, *taking order* dulu. Soleh masih ke belakang ambil soda." Prita memberi instruksi.

"Ya, Kak. Siap!"

Malam itu Café Destiny benar-benar *all out*. Ada pertemuan tak terduga yang membuat beberapa meja mendapatkan reservasi dadakan. Leony bersyukur untuk itu. Membuatnya fokus dan mengikuti arus hingga *closing* tiba.

Tak ada yang berbeda, sungguh. Prita juga masih menyenangkan meski jadi agak pendiam. Sekarang dia sedang merekap pendapatan di tempat biasanya, bersama kapten yang juga membuat laporan. Ikhsan ikut bergabung usai memeriksa bahan yang harus dipesan ulang. Soleh masih bersemangat meski harus ngepel sendirian.

Saatnya membuang sampah.

Leony teringat kata-kata Ikhsan waktu itu, *jangan sendirian saat membuang sampah.* Baginya itu konyol, toh jaraknya hanya di belakang, tidak jauh ke mana-mana. Lagian dilihatnya Soleh juga masih sibuk. Tak mungkin hanya menunggu untuk memintanya mengantar. Mengganggu Ikhsan? Ah ... mana mungkin Leony mau. Itu terlalu mengerikan.

Dengan berbagai pertimbangan Leony memutuskan melanggar pesan Ikhsan kali ini. Diikatnya kantong plastik sampah dengan cekatan. Sekali lagi tak ingin menarik perhatian, berjalan dengan langkah ringan menuju pintu belakang.

Belum sampai ke tempat sampah yang disediakan khusus untuk kafe, tiba-tiba ada yang merampas plastik sampah yang dijinjingnya dengan kasar sambil berjalan mendahului Leony.

Gadis itu nyaris berteriak karena terkejut, kepada orang yang kini berjalan membelakanginya. Namun batal ketika yang dilihatnya adalah Ikhsan. *Lagi-lagi Ikhsan.*

Usai melemparkan plastik hitam yang sarat muatan ke dalam tempatnya, Ikhsan berbalik dan menatap Leony tajam. Seakan ingin mencabik-cabik gadis itu. Kedua tangannya di pinggang dengan napas memburu menahan emosi.

Melihat seniornya pasang tampang seperti itu, tentu saja Leony gentar. Badannya sedikit gemetar, entah karena dinginnya angin malam ataukah karena tatapan orang di depannya yang begitu menghunjam.

"Kamu, nih, bego atau oon, sih? Sudah saya bilang jangan buang sampah sendirian kalau malam. Apa susahnya? Kalau perlu gak usah kamu yang buang, masih ada cowok di sini, gak harus kamu." Kata-kata Ikhsan yang datar begitu menusuk di telinga Leony.

Leony tercekat, semua kata-kata seolah menghilang dari kepalanya. Dia ingin membela diri, tapi dia tahu ini memang murni kesalahannya, tidak jadi anak buah yang patuh.

"Ma-maaf, Kak. Tadi Kak Soleh masih mengepel. Daripada nunggu, kan biar bisa selesai bareng. Kakak ... tadi juga sibuk." Leony berusaha mempertahankan alasannya mengabaikan larangan seniornya.

"Saya kira kamu tuh yang paling nurut, ternyata saya salah." Tusukan kedua dari senior yang dikenal cuek plus jutek, kembali menyerang pendengarannya. Namun Leony tak bisa membalas berargumen karena Ikhsan sudah melangkah masuk.

Leony teramat kesal!

Sepuluh

"Ngapain masih berdiri di situ?" Ikhsan ternyata masih berdiri di pintu. Itu seperti sinyal bagi Leony untuk segera mengikutinya masuk. Namun kali ini dia teramat sangat enggan berada di sekitar pria itu. Tak bisa lain dia hanya bersikap patuh. Biarlah itu jadi kelebihannya.

"Ya, Kak." Entah suaranya terdengar atau tidak, Leony tak peduli. Malah bagus kalau ternyata dia hanya menjawab dalam hati. Meskipun dia tak mungkin melakukan itu.

Sejak itu dia benar-benar menghindari Ikhsan. Namun tak ada yang menyadari itu, Leony tak pernah bercerita apapun. Soal debar yang kemudian menjadi kesal, semuanya dia simpan.

***

"Mbak, hari ini motornya aku bawa, ya, soalnya nanti ada tugas di rumah Rafli. Dino motornya dipakai ayahnya. Nanti malam aku yang jemput, deh." Tio berkata sambil membawa piring bekas sarapannya ke dapur.

"Iya. Pake, lah." Leony mencuci piring dengan santai. Hari ini tak perlu belanja. Masih ada sayur di kulkas.

Tio berpamitan seraya mencium punggung tangan ibunya. Seperti biasa Lastri akan mengusap bahu sambil berpesan, "Hati-hati, ya, Nak."

Lastri sudah sibuk sejak usai subuh, menyelesaikan jahitan milik orang sekitar. Sebelum Leony lahir pun dia sudah jadi penjahit. Bekerja di garmen dan rumah-rumah mode sudah dirasakannya sejak muda. Barulah ketika Warsito berpulang, dia merasa harus berhenti bekerja dan membuka usaha jahitan di rumah sambil menjaga anak-anak yang kala itu masih sekolah. Leony kelas 6 SD, sedangkan Tio masih TK.

Perjuangan yang tidak mudah, namun mampu mengantarkan hingga titik yang sekarang. Lastri sangat bersyukur dia dikaruniai anak-anak yang penyayang. Meski Tio bukan tergolong pintar, tapi dia anak yang baik. Pun Leony yang cerdas, meski sedikit pendiam.

"Ony, nanti tolong kamu antar itu bajunya Bu RT, ya. Sudah dibayar, kok." Lastri berkata sambil memasang benang di mesin jahit nya.

"Siap, Bu. Sekalian berangkat kerja, kan?"

Jam kerja masih sekitar tujuh jam lagi. Leony ingin tidur sebentar.

"Iya, gak pa-pa. Sukur-sukur kalo keduluan orangnya yang ambil,"sSahut Lastri sambil terkekeh.

"Alhamdulillah, dong." Leony membalas ikut terkekeh.

Leony melangkah ke kamar, menjatuhkan dirinya di atas kasur yang baru tiga jam yang lalu dibersihkannya. Pikirannya menerawang, mengingat sudah berapa hari dia main kucing-kucingan. Satu ... dua ... eh, baru dua hari. Kenapa rasanya lama banget, ya.

Bukan apa-apa, dia hanya lelah. Karena tak mungkin baginya bertukar jadwal, itu sangat merepotkan dan pastinya akan menimbulkan pertanyaan yang tak perlu. Menghindari berada satu tempat yang berdekatan dengan seniornya itu sungguh melelahkan.

Setelah peristiwa itu, dia kapok membuang sampah malam-malam. Leony hanya menyentuh sampah ketika hari masih terang, tak ingin mengulang hal yang sama yang bisa membuatnya makin sakit hati. Cukuplah di situ saja.

Sebelas

Angkutan yang dia tumpangi mengalami pecah ban di pertigaan jalan raya, tepat di mana seharusnya mobil berbelok lalu lurus selama kurang lebih tiga menit menuju Café Destiny. Tiga menit jika naik kendaraan. Kalau jalan? Lumayanlah, paling setengah jam.

Tapi tak apa, Leony bisa turun dan menunggu angkutan lain dengan arah yang sama. Meski itu bukan perkara mudah mengingat sekarang adalah jam pergantian shift. Jarang ada angkutan kosong. Tapi Leony tetap menunggu.

Hanya dua menit batas kesabaran Leony menunggu dengan diam. Dia mulai melangkah, berusaha memangkas jarak meski tak banyak, sambil sesekali menoleh ke belakang siapa tahu ada angkutan datang. Setidaknya dia jadi punya kesibukan. Berjalan.

Tiba-tiba sebuah motor Vario berhenti di depan Leony. Pengendaranya memberi isyarat pada gadis itu untuk naik. Leony merasa itu bukan ide yang menyenangkan. Dia lebih memilih membayar angkutan daripada harus duduk di belakang senior yang menyeramkan. Tapi masalahnya angkutannya tak ada yang menampakkan diri.

Ikhsan masih saja menunggu gadis itu naik setelah sekali lagi memberi kode yang sama dengan sedikit memaksa. Tatapannya yang tajam membuat Leony makin tidak nyaman. Tapi untuk menolak rasanya kok drama banget. Jadi ketahuan kalau dia sebetulnya enggan. Leony sama sekali tak suka jadi pusat perhatian.

Akhirnya dengan sangat terpaksa dia naik tanpa bicara. Kepalanya menunduk seolah pasrah, tak ada perlawanan. Dia masih ingin menjaga jarak, tak ingin menimbulkan kesalahpahaman. Apalagi kisah yang nantinya akan dipertanyakan, di mana itu adalah hal terakhir yang diinginkannya.

Empat menit kemudian dia sudah berada di ruang loker. Leony mengganti seragamnya dengan kepala penuh tanda tanya dan beberapa tanda seru. Leony sudah bersiap menuju area dapur ketika Ikhsan masuk ke ruang loker. Mereka nyaris bertabrakan. Saat itulah dia merasa dunia teramat sempit.

"Maaf, Kak." Kata-kata otomatis yang dihafal Leony di luar kepala. Lalu menambahkan, "Terima kasih buat tumpangannya tadi."

Sekonyong-konyong muncullah Robi, itu membuat Leony segera melesat dan berharap laki-laki itu tak mendengar apa yang dikatakannya tadi. Leony tak mau ada gosip yang nantinya bikin salah paham.

"San, dipanggil kapten, tuh."

Usai berkata Robi segera kembali ke *lounge*. Ikhsan hanya mengangguk dan sekali lagi merapikan seragam, kemudian bergegas menyusul rekannya.

Saat berpapasan di depan mesin kopi, Ikhsan menatap Leony dingin, lebih dingin dari sungai es di kutub. Leony sampai merinding, sedikit bergidik mengingat dia tadi berada di atas kendaraan yang sama dengan manusia es ini.

Dua Belas

"Tau gak, Kak Prita ternyata udah nikah. Pas dia telat itu mantan suaminya nyamperin di jalanan. Prita mau dihajar, untung ada Kak Ikhsan di situ. Jadi suaminya, eh ... mantan suaminya gak jadi menghajar Kak Prita. Kasian tau, Kak Prita." Netty bercerita sambil setengah berbisik.

Sore ini giliran Netty yang masuk sore. Prita sudah pulang. Leony juga tak sempat bicara banyak dengannya tadi.

"Yaa ampun. Kurang ajar banget, tuh. Main hajar aja." Leony ikut emosi sebagai bentuk empati terhadap Prita.

"Untung mereka belum punya anak." Netty menambahkan sambil membuka bungkus permen mint, setelah memberikan sebutir pada Leony.

"Makasih."

Leony tak langsung memakannya, dia memasukkannya ke kantong apronnya.

Sebenarnya ada sebersit rasa penasaran di hati Leony, tapi mengingat itu bukan kepentingannya lagi sekarang maka dia membatalkan pertanyaannya.

"Aku penasaran, ada hubungan apa antara Kak Prita sama kak Ikhsan?" Netty lagi-lagi berbisik. Leony menarik napas panjang. Perkataan Netty seolah mewakili kata hatinya.

"Jangan tanya aku. Aku malah sama sekali gak tahu." Leony menaikkan bahunya beberapa kali.

"Siapa juga yang nanya kamu? Kamu mah taunya apa, cuma ngelipat napkin sama set up aja yang jago."

Netty terkekeh senang. Leony tersenyum masam sambil meninggalkan Netty untuk mengantarkan buku menu di meja sembilan.

Ekor matanya menangkap sosok Ikhsan yang menatapnya, namun Leony pura-pura tak melihat. Dia menyibukkan diri dengan alat di genggamannya.

Leony kembali dengan sederet pesanan. Robi mondar mandir mengantarkan pesanan. Netty menyiapkan *bills*, sementara kapten terlihat berbicara dengan salah satu pelanggan. Intinya semua sibuk, termasuk Ikhsan yang *standby* di mesin kopi.

Pukul 22.35 WIB, Leony sudah berada di area parkir, di tempat biasanya dia menunggu Tio menjemputnya. Sepertinya semua sudah pulang. Jalanan terlihat sepi lalu lalang, tapi dia harus menambah kesabaran karena adiknya sudah mengirim pesan bahwa dia sudah di jalan.

"Dijemput siapa?" Sebuah suara mengejutkannya. Bahunya sampai tersentak sesaat sebelum dia menengok ke asal suara.

"Dijemput adik, Kak!" Leony menjawab datar. Dia sama sekali tak mengira kalau Ikhsan belum pulang.

"Oh. Aku duluan." Ikhsan tak menunggu jawaban segera melajukan Vario hitamnya.

Leony menarik napas lega. Akhirnya dia terbebas dari tatapan penuh intimidasi dari seniornya itu, untuk sementara. Besok hari liburnya ... dia bisa beristirahat dari rasa tak nyaman berada di sekitar Ikhsan.

Oh, indahnya libur. Besok aku ingin bersenang-senang, Leony tersenyum. *You wish, Onny.*

Tiga Belas

"Mbak, hari ini ada acara ke mana? Kan libur." Lastri bertanya pada anak gadisnya.

Leony yang sedang mencuci piring menoleh sekilas.

"Gak ada rencana apa-apa, Bu. Kenapa emang?" Leony menduga pasti ibunya hendak beli kain. Sudah tugas Leony menemani.

"Beli kain, yuk!"

Kan, benar tebakannya.

Leony tersenyum seraya mengeringkan tangan dengan kaos yg dipakainya. Kebiasaan yang sulit hilang meski ada serbet menggantung di sana.

"Boleh, tapi nanti traktir mi pangsit ya, Bu," ujar Leony sambil mengibas-ngibaskan rambutnya yang masih setengah basah usai keramas.

Mi pangsit memang kegemaran Leony di urutan teratas. Lastri menyetujuinya tanpa pikir panjang. "Oke, siap! Yuk siap-siap, keburu siang. Panas."

Satu setengah jam kemudian ibu dan anak itu sudah berada di pintu masuk pertokoan industri grosir. Cici-cici dan koko-koko mendominasi deretan penjual di sana. Segala macam jenis kain dijual dengan harga yang sangat bersahabat. Kualitasnya pun bisa diandalkan, tidak luntur meski sangat kaya warna.

Ibunya masih memilih-milih kain di salah satu toko langganan. Leony memilih menunggu di luar, Lastri membiarkan karena dia juga sedang fokus menentukan dari banyaknya pilihan.

Leony memilih duduk di sebuah bangku, memainkan beberapa game teka-teki di ponselnya untuk mengisi kekosongan, sambil sesekali melihat ke arah toko jika saja ibunya sudah selesai berbelanja. Saat itulah dia melihat seseorang yang dia kenal. Prita ... lagi-lagi dengan Ikhsan.

Mereka terlihat sedang memilih sesuatu di toko pakaian. Ikhsan dan Prita pasti masuk sore. Mereka sudah dapat jatah libur di awal minggu.

Leony mengamati mereka dari kejauhan. Ikhsan dan Prita terlihat akrab, meski tak tampak saling tertawa tapi interaksi di antara mereka sangat dekat. Leony hanya berharap mereka tak melihatnya.

"Di sini rupanya. Ibu kelamaan, ya?" Lastri datang membuyarkan lamunan Leony.

"Nggak kok, Bu. Kan nunggunya sambil duduk, gak terasa, lah." Leony memaksakan tersenyum meski terasa aneh. Lastri ikut duduk di samping anak perempuannya.

"Ibu yang capek, milihnya kan sambil berdiri. Ayo, katanya mau mi pangsit. Ibu juga haus. Ayo, Mbak!" Lastri tak menunggu jawaban anaknya langsung menarik lengan Leony dan menggamitnya sambil berjalan menuju pujasera.

Entah kenapa, seketika mood Leony meredup. Dia hanya berharap nafsu makannya tidak ikutan meredup nanti.

Keduanya sudah berada di tempat parkir sekarang. Semangkuk mi pangsit favoritnya ternyata mampu mengalahkan kegalauan dadakan di hatinya. *Receh banget ya*, Leony menertawakan dirinya sendiri.

"Leony!" Sebuah suara laki-laki memanggilnya dari arah samping.

Empat Belas

"Leony." Sebuah suara laki-laki memanggilnya dari arah samping.

Leony terkejut dan tak menyangka akan bertemu dengannya seperti ini.

Untuk sesaat dia tertegun, bingung antara menjawab panggilannya atau mengabaikannya. Tapi masalahnya adalah mereka sudah saling melihat, tak mungkin mengelak. Meski begitu Leony lebih memilih mengabaikannya.

"Ayo, Bu. Kita lekas pulang." Leony berharap ibunya tak mendengar ketika Ikhsan memanggilnya tadi. Secepat mungkin dia ingin meninggalkan tempat ini, menjauh dari laki-laki itu. Untuk sesaat Leony tak ingin diingatkan jika besok dia masih harus bertemu dengan seniornya itu di tempat kerja.

***

"Belum tidur, Mbak?" Lastri berdiri di depan pintu kamar anak gadisnya yang dibiarkan terbuka.

"Belum, Bu. Kenapa?" Leony bangun dari rebahannya di tempat tidur, lalu duduk di dekat pintu.

"Tio besok mau bawa motor lagi katanya. Mbak masuk sore, kan?" Lastri berkata sambil berjalan menuju sisi tempat tidur.

"Iya, Bu. Pakai aja. Aku masuk sore, naik angkutan aja." Leony berkata dengan wajah lelah.

"Ya, udah. Buruan istirahat. Jangan terlalu malam tidurnya."

"Ya, Bu." Leony menjawab sebelum Lastri keluar dan menutupkan pintu kamar Leony.

Malam itu Leony sulit memejamkan mata. Hari liburnya terganggu oleh orang-orang yang tidak diharapkannya. Benaknya dipenuhi dengan cuplikan adegan di pasar grosir.

Terus terang dia tak tahu bagaimana mesti bersikap di depan kedua rekan kerjanya itu.

Untuk kesekian kali hembusan napas panjang keluar dari hidungnya. Leony hanya ingin bekerja, dia sudah tak tertarik dengan kehidupan orang lain yang nantinya bisa sangat mengganggunya.

Aku harus profesional. Pura-pura tak tahu apa-apa mungkin lebih baik, karena aku hanya ingin bekerja. Fokus, Onny.

Akhirnya Leony memutuskan untuk jadi orang yang masa bodoh. Apakah itu berhasil?

***

Turun dari angkutan Leony bergegas menuju kafe, tapi seseorang menarik lengannya membawanya menepi di samping area parkir.

Leony yang terkejut mendapati Ikhsan sedang menatapnya. Leony melihat ke arah tangannya yang belum dilepaskan Ikhsan.

"Maaf," Ikhsan buru-buru melepaskan dan mengambil satu langkah mundur.

"Kemarin itu kamu, kan? Aku panggil tapi kamu pura-pura gak liat." Ikhsan berkata dengan nada tajam. Lalu lanjut bertanya, "Kenapa?"

"Kenapa apanya, Kak?" Leony tak punya alasan untuk berbohong dan dia tak ingin berbohong. Tapi dia ingin memastikan tindakan apa yang sudah dilakukannya hingga mengganggu seniornya ini.

"Kenapa mengabaikanku?" tanyanya lagi.

"Tidak ada alasan, Kak. Toh saya juga tak punya kewajiban menjawab tiap panggilan di ruang publik. Saya hanya ingin buru-buru pulang." Leony menjawab dengan diplomatis. Tak mungkin dia menjawab jika dia enggan menanggapi panggilan tersebut karena Ikhsan sedang bersama Prita, kan? Dia tak ingin jadi pengganggu.

"Bukan karena aku bersama Prita, kan?" Ikhsan bertanya tanpa beban.

Lima Belas

"Bukan karena aku bersama Prita, kan?" Ikhsan bertanya tanpa beban. Melemparkan semua keberatan di lidah Leony yang tercekat sesaat akibat tanya yang tanpa aba-aba. Bola matanya membesar seolah bertanya, *Bagaimana dia tahu?*

"Ng-gak lah, Kak. Saya tak ada pikiran ke sana. Permisi, Kak!" Buru-buru Leony kabur dari hadapan Ikhsan yang masih menatapnya.

"Lucu sekali dia," Ikhsan bergumam diiringi selengkung senyum samar di wajahnya yang hari itu terlihat cerah.

Leony bergegas masuk ke ruang loker untuk menyimpan jaketnya dalam loker miliknya. Hari ini dia memakai seragam dari rumah karena kemarin dia mencucinya. Tak sempat berpikir ulang tentang perkataan Ikhsan dan dia bersikeras untuk menolak memikirkannya.

"Nih, buat kamu." Robi rupanya sudah menunggunya di luar pintu loker. Leony menerima sebungkus roti rasa cokelat dari tangan Robi.

"Wah, makasih, ya. Tumben baik." Leony tersenyum tulus sambil melihat roti yang nampak menggoda di genggamannya.

"Emang biasanya gak baik, ya? Enak aja, kamu aja yang gak pernah merhatiin. Dah buruan dimakan, tuh udah ileran. Mumpung belum ramai." Robi bisa sangat cerewet kalau soal makan, menurutnya *waiters* tak boleh kelaparan. *Masa iya tugasnya nganterin makanan kok malah harus nahan-nahan lapar. Itu tidak benar.* Begitulah kampanyenya ketika ada rekan yang terlihat pucat karena telat makan.

Leony duduk di bangku, lalu membuka bungkus roti di tangannya. Satu gigitan terasa begitu memanjakan lidah. Robi tahu betul roti kesukaannya. Yah, itu hasil dari pertemanan mereka selama bekerja di sini. Lalu matanya jatuh pada bangku yang didudukinya. Seketika memori menariknya pada masa itu, saat Ikhsan memangku tangannya untuk menempelkan *band aid* pada lukanya kala itu.

Leony segera menelan gigitan terakhir yang terasa hambar, meremas plastik pembungkusnya lalu melemparkannya ke sampah. Dia tak tahu jika saat itu ada sepasang mata yang sedang menatapnya dri kejauhan.

"Heh, bengong aja, sih. Tuh, meja nomor dua minta *bill*. Bilang Robi suruh balik ke dapur," Prita memberi instruksi pada Leony.

"Siap, Kak."

Leony mengambil *bill* dan berjalan menuju meja yang dimaksud. Usai dari sana dia berbisik pada Robi menyampaikan pesan Prita. Cowok itu menyatukan jari telunjuk dan ibu jari membentuk lingkaran sebagai tanda 'oke'.

Leony kembali ke meja kasir untuk mengambil buku menu karena ada rombongan yang masuk yang kemudian duduk di meja nomor satu.

"Kamu suka, ya, sama Ikhsan?" Pertanyaan tanpa dasar yang meluncur tiba-tiba dari mulut Prita seolah menyumbat pernapasannya.

"Haiissh, pertanyaan macam apa itu. Aku sibuk, Kak." Leony berlalu begitu saja setelah berhasil membawa dua buah buku menu. Dia masih bisa mendengar Prita menertawai kekikukannya.

Menyebalkan.

Enam Belas

"Kamu suka ya, sama Ikhsan?"

Pertanyaan itu masih mengganggu pikirannya. *Apa yang membuat Prita sampai bisa berasumsi konyol seperti itu?*

Meski Leony melarang keras otaknya untuk membahas hal itu tapi masih saja tak henti memenuhi kepalanya.

Dia hendak menyerahkan tugas pada Robi untuk meng-*handle* tamu rombongan, namun Ikhsan sudah memberi isyarat bahwa dia saja yang meng-*handle* bersamanya.

Dengan menarik napas panjang, Leony melakukannya dengan berat hati. Meski begitu dia melakukannya dengan baik sampai tamu-tamunya meninggalkan meja dengan wajah puas.

"Kamu kenapa, sih? Manyun mulu." Robi datang membawa troli. Leony bergegas membereskan peralatan makan yang kotor setelah ditinggalkan rombongan tadi.

"Gak pa-pa. Pusing dikit," Leony asal menjawab sekadar membungkam pertanyaan Robi. Namun kata-kata itu membuat sepasang mata di yang ikut mendengar jadi berubah, terlihat khawatir.

"Istirahat, sana. Biar aku yang lanjutin." Robi sekilas melirik kawannya itu sambil memungut tisu yang berserakan di meja.

"Gak, lah. Gini doang. Biar cepat selesai, kita cepat pulang."

Tangan Leony bergerak cepat memindahkan peralatan kotor, Robi ikut bergabung meletakkan piring-piring kotor beserta kerabatnya ke dalam troli.

"Kamu belum jawab pertanyaanku tadi," Prita tiba-tiba berbisik sambil lewat di belakang Leony. Leony bahkan bisa melihat senyum jahil menghias wajah cantiknya. *Prita kurang kerjaan!* Leony menggerutu dalam hati.

"Gak ada yang perlu dijawab, Kak. Pertanyaan gaje, tuh." Leony berkata sambil mengangkat *table sheet* kotor, sementara

Robi hanya memandang dengan tatapan penuh tanya yang dijawab Leony dengan gelengan kepala sambil mengedikkan bahu. Robi berlalu membawa troli yang sarat muatan ke tempat cuci piring .

Akhirnya semua beres. Leony pun mengganti baju seragamnya.

Saat bersiap keluar ruangan loker, Ikhsan menunggu di pintu.

"Nih, katanya pusing." Ikhsan menyodorkan tablet obat sakit kepala pada Leony yang hendak keluar. Leony sempat tertegun, dia lupa soal alasan sakit kepala yang dikataknnya pada Robi. Hampir saja dia bertanya "maksudnya apa?" tapi segera diurungkannya dan segera berimprovisasi.

"Eng ... makasih, Kak." Leony enggan bertanya bagaimana dia bisa tahu, khawatir percakapan makin panjang. Dia enggan berlama-lama dengan seniornya ini.

"Pulang sama siapa?" Ikhsan bertanya sambil sebelah bahunya bersandar ke dinding.

"Adikku yang jemput, Kak," Leony menjawab singkat. "Permisi, Kak. Makasih obatnya." Dia berlalu tanpa menunggu jawaban Ikhsan yang masih diam di tempatnya.

Di tengah area parkir, Tio mengirim pesan, ban motor bocor, masih di dekat rumah. Padahal angkutan umum yang terakhir sudah lewat.

Duuh ... Robi sudah pulang lagi, tadi dia sempat menawari tumpangan juga sebelum pulang. Leony benar-benar bingung.

"Ehem ... Mau ditemenin nunggu adikmu jemput?" Suara disertai deheman mengejutkan lamunan Leony. Bahunya sampai menjingkat tanpa sadar. Leony tercekat, antara terkejut dan bingung. Dia menelan ludah.

"Adikku gak bisa jemput, Kak."

Tujuh Belas

"Adikku gak bisa jemput, Kak." Leony menatap ujung trotoar yang nampak kusam. Tangannya meremas tali tas yang menggantung pasrah.

"Ya, udah. Ayo naik, aku antar." Ikhsan berkata sambil melepas helmnya. Leony yang masih enggan berurusan dengan pria ini, terpaksa menerima tawarannya.

Kalaupun Ikhsan memilih pergi dan tak peduli, dia justru akan berterima kasih. Tapi saat ini bukan waktunya untuk menolak kebaikan yang ditawarkan, apalagi yang menawarkan adalah orang yang dia kenal. Toh dia sama sekali tak ada kecurigaan jika Ikhsan akan berbuat jahat. *Semoga saja tidak.*

Beberapa saat kemudian Leony sudah berada di boncengan Ikhsan, meluncur membelah malam. Gadis itu merapatkan lengan yang berlipat melindungi dadanya dari dingin yang menggempurnya dari depan. Tak ada percakapan. Ikhsan seperti hendak mengatakan sesuatu tapi sepertinya deru motor lebih mendominasi sebagai mengiring hening yang bising.

Sampailah Leony di depan rumahnya. Dia turun dari motor seraya melepas helm dan menyerahkannya pada Ikhsan.

"Makasih banyak, Kak. Maaf merepotkan." Leony berterimakasih dengan mengayunkan kepala ke bawah tanda hormat. Ikhsan menerima helm seperti sebuah prasasti, seolah sedang menimbang sesuatu antara dikatakan atau tidak. Dia bahkan tak merespon kata terima kasih dari Leony. Pikirannya mengembara, berusaha menyinkronkan hati dan lidah.

"Kamu pasti membenciku, kan? Kenapa?" Ikhsan tiba-tiba bertanya setelah beberapa saat Leony menunggunya berpamitan. Leony tersentak akibat pertanyaan yang tak terduga dari laki-laki di depannya.

"Ng-nggak kok, Kak." Dengan tergagap dia berusaha menenangkan gemuruh yang sedang membuat keributan di dadanya.

"Kamu seolah menjaga jarak. Sejak ... ehem-sejak melihatku dengan Prita." Kata-kata itu meluncur dari Ikhsan.

Leony seolah ditembak di kepala. Padahal bukan itu kali pertama dia melihat mereka berdua, tapi Leony sudah kehabisan tenaga untuk mengelak.

"Gak ada, Kak. Bukannya kakak yang suka sebel liat saya. Kakak juga sering marah ke saya, jadi saya yang tahu diri biar gak bikin Kakak kesel terus."

Entah ide dari mana yang jelas jawaban itu sedikit mewakili perasaan dia selama ini. Alasan itu sama sekali tidak salah, meskipun Leony tahu bukan itu alasan utamanya, tapi ....

"Jika benar begitu alasanmu, aku lebih senang, artinya kamu punya perasaan padaku, meskipun itu benci. Tapi jika kamu menjauh karena Prita, aku jadi lebih yakin kalau perasaanmu sudah sampai pada tingkat yang lebih baik. Kamu cemburu."

Ikhsan mengatakan itu dengan nada tenang yang menyebalkan di telinga Leony. Bingung harus menyangkal dengan apa, Leony merasa tak ingin begitu saja kalah. Sayangnya ....

"On, itu sama siapa? Kok gak diajak masuk?"

Aduuh, ibu kenapa malah nyuruh masuk? Kan udah malam. Aku aja berdoa biar dia cepat pergi kok. Leony menggerutu dalam hati, merutuki dirinya karena tidak berhasil membuat Ikhsan segera angkat kaki.

Delapan Belas

Lastri menghampiri anaknya di halaman. Rupanya sedari tadi dia mendengar ada suara motor berhenti di depan rumah, tapi kok anaknya tak masuk juga.

"Malam, Tante. Saya Ikhsan, senior Leony di tempat kerja." Ikhsan segera mencium punggung tangan Lastri dengan takzim.

Lastri secara otomatis menyentuh sebelah bahu Ikhsan, seperti halnya pada Tio tiap lagi.

"Oh, Nak Ikhsan. Terima kasih ya sudah antar Onny. Tio-nya aja masih di tempat tambal ban, belum pulang."

Lastri terlihat senang karena anak gadisnya sudah pulang dengan selamat, tapi masih merasa khawatir karena Tio belum kembali.

"Nambalnya di tempat Mang Kurdi?" tanya Leony pada ibunya.

"Iya. Untung kamu ada yang antar pulang." Perhatian Lastri beralih pada Ikhsan. "Sekali lagi terima kasih, loh, Nak Ikhsan. Mau tante tawarin kopi kok sudah malam. Main-mainlah ke sini."

Kata-kata Lastri membuat Leony melotot, seolah memberi kode pada ibunya untuk tak berkata berlebihan. Namun meski melihat isyarat anaknya, Lastri mengabaikannya.

"Iya, gak pa-pa, Tante. Kebetulan saya tadi belum pulang, jadi bisa antar Leony." Ikhsan bersiap undur diri. "Saya permisi dulu, Tante. Sudah malam." Sekali lagi Ikhsan mencium punggung tangan Lastri lalu beralih ke Leony, "Saya pulang dulu."

"Sekali lagi terima kasih, Kak." Leony mengucapkan itu dengan sungguh-sungguh. Terlihat Ikhsan menatap Leony sambil memakai helm. Lalu menyalakan mesin motor, mengayunkan kepala ke arah Lastri kemudian meluncur pergi setelah lebih dulu mengucap salam.

"Hmm … Ikhsan, ya." Lastri bergumam. Leony yang mendengar ibunya menyebut nama itu sontak ikut berdehem.

"Ehem … sudah, ya. Gak usah dibahas, ya." Leony merangkul ibunya sambil mengajaknya masuk.

Lastri hanya tersenyum, meski dia ingin sekali menggoda anaknya yang wajahnya kini sedang merona.

Tiin! Tiin!

Tio datang mengendarai sepeda motornya sekalian memasukannya ke beranda.

"Alhamdulillah, sudah pulang. Rame, ya?" Lastri menyambut Tio dengan pertanyaan.

"Lumayan panjang, Bu antrenya." Tio mengambil air minum, lalu duduk kelelahan.

"Yang penting kamu sudah pulang." Lastri berjalan ke kamar Leony menanyakan dia sudah makan belum. Kalau belum sayurnya mau dihangatkan.

"Nanti kalau lapar aku angetin sendiri, Bu. Ibu istirahat aja," suara Leony terdengar dari kamarnya.

"Yang tadi itu siapa, Bu? Habis ngantar Kak Onny, ya?"

Rupanya Tio sempat melihat Ikhsan dari kejauhan keluar dari halaman rumahnya.

"Iya. Kayaknya dia naksir sama mbakmu," Lastri setengah berbisik pada Tio.

"Buuu, jangan bikin gosip aneh-aneh. Dia bukan seperti itu." Leony berusaha berkilah.

"Beneran gitu, Bu?" Tio menanggapi dengan ekspresi datar. Tapi itu seolah memicunya untuk meledek kakaknya, "Berarti harusnya Mbak Onny berterima kasih sama aku, dong. Gara-gara aku gak bisa jemput kan jadinya dianter … hahahaha," Tio tertawa puas, namun terhenti seketika saat sebetan handuk menyerang kepalanya.

"Jangan ngomong aneh-aneh! Gak boleh pake motor lagi!" Kata-kata bernada ancaman itu berhasil membungkam mulut Tio, meski hanya sementara.

"Ya antarin aja kalau gak boleh bawa motor sendiri, weeee!" Tio berlalu secepat kilat sebelum sebetan kedua mengenai kepalanya.

"Sudah, sudah ... kalian, nih. Mbak, mau mandi?" Lastri bertanya ketika melihat Leony menyampirkan handuk di bahunya.

"Iya, Bu. Biar tidurnya anteng. Lengket, Bu. Habis keringetan gak enak kalau gak mandi." Leony berjalan menuju kamar mandi sebelum meminta ibunya segera istirahat.

Sembilan Belas

Leony menatap sosok menjulang di depannya. Senyumnya yang dingin makin membuat daya pikat laki-laki itu berada di puncak.

Kak Deni.

Leony menikmati pemandangan itu dengan sepenuh hati, seolah dia ingin mengabadikannya dalam memori di kepalanya.

Kak Ikhsan memang nyaris sempurna. Wait! Kok jadi Kak Ikhsan? Leony yakin sosok yang dilihatnya tadi adalah Deni, kenapa berubah jadi Ikhsan?

Namun belum sempat dia berkata-kata, sosok itu mendekat. Sosok yang menyerupai Ikhsan itu tersenyum, namun aura dingin seolah mampu membekukan tulang Leony yang terpaku. Kakinya tak bisa berbeda meski dia sangat ingin lari.

Sosok Ikhsan itu masih mendekat namun kini lengannya menarik seorang wanita dalam pelukannya. Ikhsan tertawa seolah mengejek Leony. Lalu mereka saling berhadapan sambil tertawa memperlihatkan kebersamaan mereka di depan Leony.

Kepala saling mendekat lalu nyaris berciuman, seketika Leony berteriak, "Tidaaakkk!" Lalu mereka tertawa melihatnya yang masih berteriak.

"Tidaaakkk!" Leony terbangun.

Astaghfirullahaladzim! Ternyata hanya mimpi.

Dilihatnya jam menunjukkan pukul 02.10. Baru kali ini dia mimpi seseram itu.

Leony pergi ke dapur untuk minum, kemudian mengambil wudu untuk salat tahajud.

Usai salat dan berdoa, Leony bersiap kembali tidur. Mimpi itu mengingatkannya akan kata-kata Ikhsan usai mengantarnya semalam.

"Jika benar begitu alasanmu, aku lebih senang, artinya kamu punya perasaan padaku, meskipun itu benci. Tapi jika kamu menjauh karena Prita, aku jadi lebih yakin kalau perasaanmu sudah sampai pada tingkat yang lebih tinggi. Kamu cemburu."

Leony merasa penyamarannya terbongkar. Namun seperti maling yang tertangkap basah dia akan menggunakan haknya untuk diam dan tak mengakui perbuatannya. Mungkinkah?

Leony menghembuskan napas dengan gusar, lalu menarik selimutnya hingga menutupi kepala. Andai saja selimut ini bisa menyembunyikan perasaannya juga, pasti akan lebih berguna.

Yaa Allah, bagaimana aku bisa menghadapi dia? Dia sudah membongkar semuanya.

Mimpi itu memang tidak bohong, kekagumannya pada Deni masih ada, tapi tak bisa dibandingkan dengan apa yang dia rasakan pada Ikhsan. Apalagi kalau membayangkan Kiara yang teramat bucin pada Deni yang membuatnya sedikit mual.

Tapi dia mengakui, di hati yang paling dalam, di sudut paling tersembunyi di sebuah kotak dengan kunci berlapis, perhatiannya sudah beralih pada senior super jutek yang pernah membuatnya ingin melempar apron ke wajahnya.

Semenarik itu, dia.

Dua Puluh

Leony merasa Allah sedang menolongnya. Bagaimana tidak? Hari ini dia tak perlu bingung untuk bersikap di depan Ikhsan, karena menurut jadwal, hari ini adalah hari liburnya.

Semoga tak ada kejutan hingga dia pulang ke rumah nanti. Aamiin.

Leony benar-benar serius ketika mengaminkan doanya sendiri.

"Leony, bantu saya cek persediaan, ya," Kapten Deni memberi perintah.

"Siap, Kak!" Wajah Leony tampak sumringah, seolah dia sedang berada di taman bermain. Lompat sana sini seperti marmut mini.

"Kamu sehat, kan?" Deni bertanya dengan wajah serius. Prita yang saat itu bertugas di shift pagi juga geli melihat tingkah Leony.

"Dia lagi berbunga-bunga, tuh," Prita berseloroh yang membuat Leony sontak mendelik ke arah penjaga kasir itu. Deni yang melihat itu sedikit menaikkan salah satu sudut bibirnya.

"Iyakah? Kenapa emang?" Ada aroma penasaran dalam pertanyaannya, sayangnya tak ada yang bersedia menjawabnya.

"Gak ada, Kak. Aku sehat, kok. Kak Prita cuman bercanda, Kak. Gak usah didengerin." Leony berkilah dan menjawab sebisanya. "Permisi, Kak," pamitnya lagi sambil buru-buru menuju ruangan persediaan bahan.

Leony mengetuk dahinya berkali-kali karena merasa telah melakukan kecerobohan hingga menimbulkan kecurigaan yang tidak perlu. Dia bukan tipe orang yang suka sembunyi-sembunyi, kecuali tentang perasaannya kali ini.

Bekerja dengan Kapten Deni tidak semenyeramkan dulu waktu di awal dia bekerja. Meski kata-kata dan intonasi

44

berbicaranya masih sering ketus, namun Leony seiring waktu kini dia menyebutnya 'lugas', sebagai cermin ketegasan seorang pemimpin.

Tiba-tiba ... bruugh! Suara sesuatu yang jatuh, berasal dari arah lemari pendingin.

"Prita! Prita! Bangun, Prita! Kamu kenapa?" Suara Soleh terdengar berteriak dengan nada cemas. Leony yang mendengar itu pun bergegas menuju ke asal suara. Dilihatnya Prita pingsan di depan pintu pendingin.

"Prita, Prita! Sadar Prita! Kamu kenapa?"Kapten Deni sudah bersimpuh di sampingnya sambil menepuk-nepuk pipinya yang pucat, tidak, bukan hanya pipinya. Wajah Prita memang memucat.

"Leh, bantu saya!" Deni bersama Sholeh membawa Prita ke ruang loker. Bukan hanya Soleh yang cemas, Deni pun terlihat pucat, ketakutan tergambar di wajahnya. Ketakutan akan hal buruk menimpa anak buahnya. Seperti itu yang dilihat Leony, karena dia pun merasakan hal yang sama.

"Leh, tolong panggil taksi, saya akan membawanya ke rumah sakit," Deni berkata tanpa mengalihkan pandangan dari Prita.

"Ya, Kapt," Soleh masih sedikit tertegun namun tetap berjalan keluar untuk memanggil taksi.

Leony tak berani bertanya, dia hanya mematung di tempatnya berdiri. "A-aku harus ngapain, Kak?" tanyanya bingung. Dia menyatukan kedua telapak tangan dengan gemetar.

"Tolong, kamu standby di lounge, lanjutkan pekerjaanmu. Seseorang harus ada di sana. Biar saya yang menemani Prita. Kasih tahu kalau taksinya sudah datang," Deni memberi instruksi dengan tatapan sedih pada Leony, namun kemudian kembali beralih pada Prita.

"Ya, Kak," Leony mengayunkan kepalanya tanda mengerti. Dia melihat tangan Deni masih menggenggam jemari Prita begitu erat ketika dia berjalan meninggalkan ruangan itu Seperti ... sepasang kekasih?

Dua Puluh Satu

Leony melangkah gamang ketika masih didengarnya Deni menelpon dan menyebut nama seseorang. Hatinya bergetar saat mendengar Deni menyuruh Ikhsan datang.

Yah, tentu saja kapten akan memanggil Ikhsan, secara dia sekarang kapten dua, bisa dikatakan wakil Deni jika berhalangan.

Leony melihat Soleh sudah mendapatkan taksi, segera dia ke ruangan loker memberitahukan itu pada kapten.

"Taksinya sudah datang, Kak."

Leony melihat mata Prita masih memejam. Soleh yang datang segera membantu Deni membawa Prita ke dalam taksi. Soleh masih memandang taksi yang melaju dengan perasaan tak menentu. Semua yang melihat itu pasti cemas.

Soleh pun menelpon Nety untuk segera datang. Setelah itu dia tampak termenung.

"Kak, waiters kita cuma berdua?" Leony bertanya dengan suara tertahan. Soleh mendongak ke asal suara. Lalu menarik napas panjang.

"Bentar lagi Nety datang. Ikhsan juga lagi di jalan. Semoga Prita baik-baik saja, ya," Soleh berkata seperti pada diri sendiri. Suaranya masih terdengar *shock*.

"Aamiin, Kak." Leony menjawab singkat.

"Sepertinya aku curiga sesuatu. Jangan-jangan dia hamil," Soleh masih dengan sikap yang seolah sambil menerawang jauh. Pandangannya ke meja kursi yang terdiam. Seperti Leony yang diam meski napasnya tersentak nyaris melompat.

"Kok, Kakak bisa tahu?" Leony bertanya dengan polosnya.

"Hanya dugaan saja. Pengalaman dulu waktu istriku hamil pun begitu, sempat pingsan karena lelah dan kurang darah," Soleh menjelaskan sambil merapikan meja kasir.

"Ma-maksud Kakak ...? Hamil sama mantan suaminya?" Leony spontan bertanya.

"Ya, iyalah. Emang sama siapa?" Soleh sedikit melotot ke arah Leony yang hanya bisa nyengir.

Leony tak bisa memberitahukan apa yang dilihatnya kala Deni menggenggam erat tangan Prita.

"Emang benar mereka sudah cerai, Kak?" Leony bertanya sambil merapikan napkin. Untung kafe sudah melewati *rush hour* pertama, jadi mereka sedang bersiap untuk *rush hour* ke dua.

"Setahuku masih proses. Entah ada apa dengan Prita bisa memilih pasangan yang salah, padahal dia cantik dan cukup populer," Soleh menjelaskan dengan nada geram.

"Emang suaminya jahat, ya, Kak?" tanya Leony lagi.

"Bukan cuma jahat, dia punya penyakit psycho kayaknya. Suka mukul Prita di tempat yang gak terlihat mata. Makanya gak ada yang tahu. Ikhsan yang lihat ada memar-memar di lengan sama bahunya pas di IGD tempo hari. Saat habis dihajar sama si gila itu." Soleh terlihat emosi menceritakan itu.

Tak lama kemudian Nety datang. Wajahnya juga terlihat cemas. Semua yang di sana sangat menyayangi Prita. Pribadinya yang menyenangkan tentu saja semua orang suka, bahkan Kiara yang terkenal hanya peduli pada dirinya sendiri pun ikut khawatir sampai dia datang lebih dini saat mendengar berita tentang Prita dari Nety.

"San, tadi ke rumah sakit dulu? Gimana keadaannya?" Soleh bertanya pada Ikhsan yang terlihat baru datang.

Dua Puluh Dua

"San, tadi ke rumah sakit dulu? Gimana keadaannya?" Soleh bertanya pada Ikhsan yang terlihat baru datang.

Leony yang kala itu sedang menyusun cangkir refleks mendongakkan kepalanya, mencari sosok yang ditanyai Soleh.

"Sudah ditangani. Alhamdulillah sudah baikan. Deni sepertinya masih stay di sana." Ikhsan menjelaskan dengan singkat. Semua yang ada di ruangan itu serempak mengucapkan kalimat hamdalah, tak terkecuali Leony.

"Syukurlah kalau begitu. Kamu gak jadi libur, dong?" Soleh berseloroh sambil menepuk bahu rekannya itu. Ikhsan hanya tersenyum tipis.

"Gak pa-pa," Ikhsan menjawab sambil berjalan ke arah ruangan loker.

Saat melewati Leony, Ikhsan berkata dengan suara rendah, "Aku malah seneng, kok." Kata-kata yang seolah dimaksudkan hanya bisa didengar oleh Leony. Entah yang lainnya mendengar atau tidak, yang jelas Leony tercekat.

Leony hanya bisa membulatkan matanya sambil menahan napas, takut yang lainnya bisa mendengar dadanya yang bergemuruh terlalu berisik saat Ikhsan melewatinya sambil berbisik seperti itu. Buru-buru dia bergabung dengan Nety dan Kiara, tanpa menyadari jika pipinya merona.

"Eh, wajahmu merah gitu kenapa? Sakit juga?" Nety bertanya cemas pada Leony.

"Gak, kok. Emang cuacanya panas kali," Leony berkilah. Tak mungkin dia berkata gara-gara hatinya dibikin ribet oleh Ikhsan.

"Lah, kan AC-nya nyala," Nety masih mengejar, namun Leony mengabaikannya pura-pura serius melihat Kiara yang sedang berbicara.

"Aku sedih Kak Prita sakit, tapi kenapa harus Kak Deni yang nganter, sih," Kiara berkata sambil melipat napkin. Memang belum waktunya serah terima, mereka masih tertarik untuk membahas tentang sakitnya Prita.

"Emang kenapa? Kak Deni kan, kapten. Ya dia penanggung jawab, dong," Nety menjawab dengan intonasi cepat sambil menghitung nota yang ditinggalkan Prita.

Leony senyum-senyum melihat wajah Kiara yang terlihat cemberut.

Coba saja kalau dia tahu Kak Deni-nya tadi menggenggam erat tangan Kak Prita karena cemas, bisa kepanasan dia. Apa aku bilang aja kalau tadi mereka terlihat mesra?

Leony nyaris terkikik dengan apa yang dipikirkannya barusan.

"Haiisshh ...! Nih lagi, ngapain senyum-senyum? Dasar gaje!" Kiara menggerutu sambil meninggalkan dua rekannya yang saling berpandangan usai mendengar perkataannya.

"Diih, marah ama siapa ngomelnya ke mana?" Leony bersuara, namun Kiara pura-pura tak mendengar.

"Dasar gaje!" Nety ikut menimpali, yang ditutup dengan kekehan kedua gadis itu. Mereka makin tergelak saat melihat Kiara makin mengerucutkan bibirnya beberapa senti ke depan.

"Awas nembus sampe parkiran, tuh bibir!"

Kata-kata Nety membuat Leony terbahak-bahak. Nety tak tahan melihat kawannya seperti itu, memancingnya untuk usil menggoda. Kiara ikut tertawa, namun tak lama karena tamu mulai berdatangan.

Robi datang ketika Leony usai serah terima tugas pada Kiara. Dengan tergesa-gesa dia masuk ruang loker, mengganti seragam lalu ikut bergabung dengan rekan lainnya.

"Leony, sini bentar." Robi tiba-tiba menarik lengan Leony.

"Ada apa, sih? " Leony yang hendak ganti baju mengikuti saja rekannya itu membawa tangannya.

"Eng-anu … gak jadi, deh. Lain kali aja. Ya, udah, ganti baju sana." Robi tiba-tiba mengurungkan niatnya untuk mengatakan sesuatu pada Leony.

"Diih, gak jelas banget, sih, nih orang. Awas, loh ntar gak bisa tidur!" Leony yang terlihat sedikit kesal mengancam Robi sambil tersenyum.

"Issh … itu ancaman atau kutukan?" Robi yang cemberut mengeluarkan roti kesukaan Leony, "tarik lagi kutukannya!" katanya lagi sambil memberikan roti itu pada Leony.

"Waaa … makasih, ya, teman. Baik banget, sih. Kutukannya udah gak berlaku kok." Leony mencium bungkusan kue itu sambil melambai kepada Robi.

"Eits! Belum selesai, sini dulu!" Robi kembali memberi isyarat pada Leony untuk mendekat.

"Apa lagi, sih?" Leony mulai hilang kesabaran.

Robi mendekatkan mulutnya ke telinga Leony. "Tuh orang di arah jam 9 lagi ngelihatin kamu dari tadi. Lihat mukanya serem banget kayak lagi marah. Aku takut kalau matanya ntar copot ngelihatin kita. Kayaknya dia suka banget ma kamu." Usai berkata begitu Robi bergegas meninggalkan Leony yang mematung di tempatnya.

Wajahnya memanas, antara takut dan cemas. Bisa-bisanya Robi berkata seperti itu. Meskipun otaknya menyuruhnya untuk melihat diam-diam namun rasa kesal membuatnya melihat tanpa pikir panjang. Segera diputarnya kepalanya ke arah yang dimaksud.

Matanya membulat sempurna, seiring napas yang seolah terlambat sampai di ruangannya. Leony melihat Ikhsan yang menatapnya dengan kesal. Benar kata Robi, tatapannya membuat ngeri. Tanpa pikir panjang dia segera pergi ke ruang loker. Dia harus segera pulang.

***

Leony baru mendapatkan kabar dari Nety bahwa Prita sudah pulang. Meski dia tak menyebutkan sakitnya kenapa, Leony pun tak bertanya. Dia hanya berharap semua baik-baik saja. Kasihan jika ternyata perkiraan Soleh benar, maka itu akan jadi situasi yang rumit, karena istri yang sedang hamil tidak bisa diceraikan.

Tapi kasihan kalau suaminya jahat gitu, Leony berusaha menyanggah pikirannya sendiri. Gadis itu menggelengkan kepalanya kuat-kuat, menolak memikirkan apa yang bukan urusannya. Sekali lagi, dia berharap semua baik-baik saja untuk Prita.

Cuplikan adegan Deni menggenggam tangan Prita yang pingsan masih bermain di kepalanya.

Lalu, bagaimana dengan Ikhsan? Tiba-tiba Leony merasa iba pada seniornya itu. Karena skenario yang tercipta di kepalanya begitu menyedihkan. Cinta segitiga yang memilukan.

Tapi, kenapa Robi bilang Ikhsan suka padaku? Aku pun bisa melihat dia marah melihat kami kemarin. Emang itu cemburu? Bukan karena senior yang lagi kesel lihat juniornya pada ngerumpi di tempat kerja?

Aaaisshh! Sekali lagi Leony menggelengkan kepalanya, lalu menarik selimut sampai melewati rambutnya.

Jangan pikirkan lainnya, On. Tidur saja.

Dua Puluh Empat

Leony tiba pukul 08.45. Sengaja dia berangkat awal, karena lagi-lagi harus naik angkutan umum. Nety belum datang. Karena Prita masih istirahat jadi dia sudah pasti yang menggantikannya sampai shift ke dua, alias lembur.

Tak berselang lama, Robi datang dengan senyuman yang khas, lebih tepatnya nyengir. Dia melambai pada Leony dengan bersemangat.

Robi membersihkan lantai, Leony menyiapkan peralatan makan dan minum agar siap pakai. Mereka sibuk dengan pikiran masing-masing seolah tak ingin mengganggu suasana pagi yang hening dengan pembicaraan yang dingin.

Akhirnya semua selesai, Leony mencari tempat duduk untuk melipat napkin. Robi pun ikut bergabung.

"Sebenernya kamu kemarin mau ngomong apa, sih, kok gak jadi?" Leony membuka percakapan. Robi hanya melihat sebentar lalu melanjutkan kegiatannya, melipat napkin.

"Yah, aku takutnya ntar kamu ngira aku tukang gosip. Aku gak mau dianggap begitu, jadi aku gak jadi cerita," Robi menjawab dengan ragu-ragu, seolah takut tergoda untuk bercerita.

"Cerita aja sih, kalau mau cerita. Kalau nggak juga gak pa-pa. Senyaman kamu aja," Leony membalas diplomatis.

"Eng-tapi jangan cerita siapa-siapa, ya," Robi setengah berbisik, padahal masih belum ada orang, tapi tetap saja naluri orang yang ingin menceritakan suatu rahasia selalu begitu.

"Iya! Haiisshh, kamu nih, lamaa!" Leony mulai sewot. Robi memajukan kepalanya mendekat ke arah Leony.

"Kapten pacaran sama Kak Prita!" Robi berkata setengah berbisik. Leony membelalak sambil menutupi mulutnya yang menganga lebar dengan telapak tangannya. Cukup lama terjeda dengan keterkejutan Leony hingga kemudian dia membuka mulutnya kembali.

"Kamu tahu dari mana?" Leony tanpa sadar ikut berbisik.

"Kemarin waktu di rumah sakit! Kapten menyuruhku membelikan makanan dan vitamin karena dia menunggui Kak Prita. Pas aku nyampe di sana, kapten manggil Kak Prita 'sayang'!" Robi makin berbisik sehingga yang terdengar dari jauh mungkin kasak kusuk yang terlihat asyik.

Lagi-lagi Leony menutup mulutnya, matanya melebar. Pantas saja kemarin Deni terlihat sangat cemas, apalagi sampai menggenggam erat jemari Prita yang pucat. Tapi Leony tak mengatakan itu. Dia tak mau menambah-nambahi bahan gosip.

Tiba-tiba dia terkekeh. Robi terkejut melihat reaksi kawan di depannya itu.

"Eh ... malah ketawa, kenapa lu?" Robi bersungut-sungut.

"La-lu-la-lu-la-lu-ini bukan Jakarta, woy!" Leony makin usil lihat sahabatnya ini cemberut.

"Siapa suruh gak jelas!" Bagi Robi sikap Leony saat itu menyebalkan.

"Aku ketawa tuh, karena tiba-tiba aja ngebayangin gimana ngamuknya Kiara kalau dia tau idolanya punya pacar yang bukan dia." Leony dan Robi terkikik.

"Iya, kasihan bener, dia. Tapi yah, siapa suruh dia halu," gantian Robi yang nyinyir.

"Eh, kayaknya kita jahat banget ya, ngetawain Kiara ...," Leony berhenti dan melihat Robi, lalu bersama-sama melanjutkan, "HABIS DIA NYEBELIIIN!"

Dua Puluh Lima

Robi dan Leony sedang terkekeh dengan canda-canda aneh ketika sebuah suara dingin menyela keriuhan mereka.

"Kalian ngetawain siapa?" tanya Ikhsan yang tiba-tiba sudah berdiri di samping mereka. Robi dan Leony nyaris melompat serempak karena terkejut, lupa jika ada orang lain yang bisa saja datang dan mengacaukan kesenangan mereka. Seperti sekarang.

"Anu-Kak ... ng-itu ...." Robi bingung mencari alasan. Leony menyahut, "Ngetawain tetanggaku, Kak. Dia suka lucu." Sudah jelas jawaban asbun, alias asal bunyi. Robi melirik rekannya sambil pura-pura menyelesaikan pekerjaannya. Ikhsan hanya menatap kedua juniornya itu dengan pandangan dingin tapi penuh keingintahuan. Lalu beralih memandang Leony yang menundukkan wajahnya nyaris mencium meja. Ikhsan terlihat menarik napas panjang.

"Leony, hari ini kamu lembur, ya," Nada suara Ikhsan dibuat sedatar mungkin, membuat Leony seketika mendongak, bukan karena suaranya, tapi pemberitahuannya.

"Lem-lembur, Kak?" Nada bertanya setengah protes dia layangkan dengan melebarkan matanya ke arah seniornya itu. "Kenapa?" tanyanya lagi. Isi kepalanya seolah *blank*, menanyakan hal yang sebetulnya tak perlu hanya demi menutupi keengganannya.

Sudah jelas kalau lembur berarti ada yang tidak masuk, Onny. Jangan-jangan ....

"Kiara sakit, hari ini tidak masuk." Ikhsan seolah membenarkan apa yang sudah Leony perkirakan. Tak bisa lain, Leony hanya bisa menghembuskan napas panjangnya berkali-kali. Robi menepuk bahunya memberi semangat usai Ikhsan meninggalkan mereka untuk menerima barang-barang belanjaan yang datang.

Bukan hal besar sebenarnya jika dia harus lembur. Tapi yang sedikit membuatnya gelisah karena dia harus seharian bersama orang yang menjungkirbalikkan pikirannya. Leony tak siap untuk itu. Takkan pernah.

Setidaknya begitulah yang dia kira.

Nety sudah bersiap di depan mesin kasir. Robi mengecek sekali lagi *table set up* sebelum tamu pertama datang. Leony menyapukan pandangannya dan menemukan Ikhsan sedang terlihat serius di depan mesin kopi.

Mau tak mau kepalanya kembali dipenuhi hal-hal seputar lelaki itu. Tubuhnya tak setinggi Deni, mungkin hanya terpaut dua senti setengah, tapi masih terlihat tinggi bagi Leony. Sekarang pun Leony masih tak tahu bagaimana dia harus bersikap. Informasi tentang Deni yang menjalin hubungan dengan Prita seolah mengacaukan penilaiannya selama ini.

Jadi yang saat itu aku lihat itu apa? Kenapa Ikhsan seolah dekat dengan Prita? Cinta segitiga? Haissshhh, yang benar saja! Stop cari tau, Onny. Itu bukan urusanmu!

Leony menggeleng kuat-kuat. Menolak semua pemikiran yang seolah sedang melakukan jejak pendapat di dalam kepalanya.

"Kenapa, lu? Diih, mulai deh, aneh-nya kumat!" Robi lewat sambil berkata tiba-tiba membuat Leony kembali menjingkat.

"Haiisshh! Bikin kaget aja!" Leony refleks hendak melempar napkin tapi buru-buru diurungkannya kala matanya menangkap pandangan Ikhsan yang sedang menatapnya dengan cara yang tak bisa diartikan. Leony memilih pergi ke pintu belakang. Setidaknya merapikan botol-botol bekas di sini lebih bisa menormalkan detak jantungnya.

Keasikan bekerja membuat Leony tak menyadari sepasang mata asing di kejauhan sedang memandangnya dari balik pagar.

Dua Puluh Enam

Leony tampak puas dengan hasil kerjanya ketika Ikhsan datang dan menarik tangannya untuk masuk kembali ke dalam, lalu memastikan pintu pagar belakang terkunci dengan benar.

Ikhsan menarik napas, lalu diam sejenak sebelum memberi instruksi.

"Saya butuh cangkir bersih. Ada rombongan tamu, bantu saya di depan." Ikhsan berkata seperlunya sambil lebih dulu menuju ke depan, di samping mesin kopi.

"Iya, Kak." Leony ikut berjalan di belakang Ikhsan dengan patuh, meski agak bertanya-tanya kenapa laki-laki itu sampai harus menariknya masuk seperti tadi. Meskipun seniornya itu tak berkata apa-apa tapi Leony bisa melihat ada sedikit kecemasan dari caranya menatapnya.

Robi tersenyum usil pada Leony saat gadis itu berjalan memasuki area lounge di belakang Ikhsan. Leony hanya membalasnya dengan senyum masam.

Siang itu kafe cukup ramai. Nety sampai turun tangan ikut membantu mengantarkan makanan. Robi juga terlihat mondar mandir sesekali membawa troli piring kotor.

Leony bahkan sejenak lupa tentang keresahannya, dia terlalu fokus melayani pelanggan. Sedangkan Ikhsan menyisir tiap sudut untuk memastikan semua pengunjung dilayani dengan benar. Tak ada keluhan adalah pencapaian serupa nilai 'A' bagi Leony dan kawan-kawan.

Makan siang berdua dengan Nety kali ini membuat Leony terhibur.

"Kiara patah hati." Kalimat pertama sebelum Nely bercerita membuat Leony nyaris tersedak. Tapi yang mengatakan itu malah asik menikmati beberapa suapan terakhir di piringnya.

"Haah?! Kok ...?" Sebuah pertanyaan yang sengaja menggantung. Leony belum bisa memutuskan untuk memberi tahu kawannya itu tentang berita yang dia dengar dari Robi, atau tetap pura-pura jadi penonton di luar lapangan.

"Kapten sudah punya pacar. Kiara gak terima, tapi emang dia bisa buat apa? Masa semua harus nurut kemauannya dia? Emang dia siapa?" Nety mrepet usai menghabiskan suapan terakhir.

"Dia tahu dari mana?" Leony berusaha mengorek jawaban yang mungkin berbeda.

"Dia nembak Deni. Gila, tuh anak! Bego-nya dimakan sendiri! Gak pinter baca tanda-tanda cowok yang suka ama yang gak peduli mah beda jauh. Dia terlalu pede karena merasa cantik." Nety berkata dengan lancar sambil menandaskan sisa krupuk di plastik yang kini kosong.

Leony menghabiskan air es nya dengan segera. Cerita Nety seolah membuatnya haus. Nety membuang plstk krupuk sambil membawa piring kotor ke zinc.

"Aku aja yang nyuci. Kamu balik aja, giih, ke meja kasir." Leony menawarkan diri sambil menyalakan kran bersiap mencuci piring. Mata Nety membulat penuh rasa terima kasih.

"Wah, makasih ya. Besok lagi! Hahahaha ...." Nety menepuk pundak Leony lalu pergi. Leony tertawa sambil mengacungkan jempolnya ke atas.

Jadi Kiara sudah tahu Kak Deni punya pacar. Tapi dia tahu gak kalau pacarnya itu ... Prita?

Haiisshh, patah hati aja udah bikin dia gak masuk kerja. Kalau dia tahu saingannya adalah kawannya di tempat kerja, bisa-bisa dia ... keluar? Semoga gak se-ekstrim itu.

Dua Puluh Tujuh

Shift berikutnya hanya Robi yang digantikan Sholeh. Nety masih menggantikan Prita, sedangkan kapten masih belum ada tanda-tanda kemunculannya.

Seseorang sedang berharap dengan sangat Deni bisa datang. Dia bahkan secara khusus memohon pada Tuhan untuk memunculkan Deni seketika agar Ikhsan bisa pergi dari hadapannya, meski sementara. Hanya agar dia bisa bernapas dengan lebih normal. Leony membisikkan doa itu setiap sepuluh menit.

Doanya terkabul! Deni terlihat memasuki lounge dengan langkah terburu-buru. Ikhsan terlihat menyambutnya dan berbicara serius. Deni bahkan duduk di tempat biasa dia menulis laporan bersama Prita. Namun kali ini Ikhsan yang duduk di depannya sambil menunjukkan beberapa berkas.

Leony lega, ucapan hamdalah dibisikkannya berulang-ulang seperti pintanya tadi, dalam hati. Hampir saja dia melompat kegirangan jika tidak dilihatnya Ikhsan sedang memandanginya dari samping. Secepat mungkin dia menghilang, entah sibuk memakukan diri di rak sebalah mana yang penting jauh dari 'orang itu'.

Cukup lama Ikhsan dan kapten mereka berbicara, lalu tamu mulai berdatangan. Ikhsan masih mondar-mandir bersama tim shift sore, juga Leony, sementara Deni masih di sibukkan dengan laporan di depannya.

"Syukurlah kapten datang." Leony berbisik ketika melewati Nety. Nety seketika mendongak melihat kawannya itu

"Emang kenapa?" tanyanya dengan wajah datar ke arah Leony. Yang dilihat kebingungan mencari alasan. Sepertinya dia keceplosan.

"Ng-nggak gitu, berarti kan dia sehat," ucap Leony sekenanya.

"Ya, sehatlah. Yang sakit, kan Kak Prita, bukan Kak Deni."
Nety berkilah sambil memasang roll nota di mesin kasir.

"Eh … iya. Duh, cangkirku lupa ngeringin." Leony segera
berlalu takut makin terjebak dengan kata-katanya sendiri.
Sambil mengeringkan cangkir dengan serbet bersih dia tak
henti merutuki kebodohannya. Hampir saja dia keceplosan.

*Sepertinya mereka tak tahu jika pacar Kak Deni adalah Kak
Prita.*

Leony yang sejak tadi sudah menghitung waktu kepulangan
Ikhsan sempat kesal karena sampai tamu yang kesekian
seniornya itu tak juga meninggalkan tempat. Namun benaknya
makin berteriak ketika dilihatnya kaptennya itu berdiri dan
melambai pada semuanya. Sedangkan Ikhsan masih di
tempatnya sambil balas mengacungkan jempol.

Ooh, tidak! Jangan pergi, Kak! Please!?

Tentu saja Deni tak mendengar itu, dia tetap berlalu dengan
langkah panjang keluar kafe.

Leony lunglai. Doanya memang terkabul, tapi Tuhan masih
ingin melihatnya kembali berdoa, menyebut nama-Nya setiap
saat.

Sisa malam itu di lewati Leony dengan lebih fokus pada
pekerjaannya. Itu akan membantunya melewatkan malam
dengan lebih cepat. Hingga tiba waktunya closing Leony mulai
mengemas plastik sampah lalu membawanya ke tong
pembuangan di belakang. Untuk sesaat Leony lupa akan Ikhsan,
juga peringatannya.

Dia secepat mungkin menuju tong sampah dan membuang
plastik-plastik yang mengmbung itu hanya dalam hitungan
detik, lalu segera kembali masuk. Namun Ikhsan sudah
menunggu di pintu sambil berkacak pinggang. Wajahnya
terlihat gusar.

Dua Puluh Delapan

Leony yang terkejut mendapati seniornya itu seolah malah lupa bergerak. Dia membeku di tempat. Ikhsan yang nampak tak sabar kembali menarik tangan gadis itu dengan sedikit menghentak untuk mengikutinya.

Leony yang diperlakukan seperti itu sedikit terkejut, dia tak mengerti kenapa seniornya ini sangat terobsesi dengan keselamatannya di halaman belakang.

Namun kali ini Leony seolah hilang kesabaran. Dia menarik tangannya hingga terlepas dari genggaman Ikhsan. Bibirnya mengatup rapat. Dia sebal diperlakukan seperti anak kecil.

Ikhasan sedikit terkejut. Dia tak menyangka Leony akan melawannya seperti itu. Ada sesal di hatinya kenapa tidak dia saja yang lebih dulu membuang sampah itu dari pada harus membuat gadis di depannya ini jadi memelototinya seperti ini.

"Aku bukan anak kecil, Kak! Aku bisa jaga diri!" Leony meluap. Dia sudah terlalu lama menahan diri. Matanya masih melotot pada Ikhsan. Dadanya naik turun, seolah mencari udara untuk memenuhi rongga napasnya yang terasa sesak oleh kesal. Sampai dia membahasakan 'aku' bukan 'saya' seperti biasanya. Emosi sudah menguasainya.

"Yakin? Yakin bisa jaga diri? Oke! Fine!" Ikhsan pun tak kalah galak, nada suaranya meninggi.

Ikhsan mengehembuskan napas dengan kasar. Menyesalkan perhatiannya yang ternyata dipandang tak berguna. Andai saja gadis itu tahu betapa tak tenangnya dia jika sesuatu yang buruk menimpanya, seperti yang selama ini menghantui mimpinya ....

Ikhsan hendak memutar tubuh untuk pergi. Leony masih menatap punggung Ikhsan dengan air mata yang mulai mengambang memenuhi ruang di kelopak matanya.

Kau bukan siapa-siapaku, Kak. Aku takkan mengharapkanmu. Berhentilah membuatku bingung.

Hati Leony memohon di antara letupan debar yang tak kuasa dikendalikannya.

"Aku harus jadi siapamu dulu, baru kau bisa menurut? Demi Tuhan! Aku bicara tentang keselamatanmu, kenapa harus jadi ribet, sih!" Ikhsan berkata sambil melihat ke arah Leony sekali lagi.

Leony terhenyak, seolah Ikhsan bisa mendengar kata hatinya. Semu merah menjalari wajahnya. Namun tak ada yang dikatakannya hingga Ikhsan benar-benar pergi dari hadapannya.

Leony terduduk lemas. Meski terlihat melawan sebenarnya dia juga sangat mengerti kekhawatiran Ikhsan. Karena itu ada sesal yang terselip di hatinya, ganti merutuki dirinya yang tidak berterima kasih karena sudah diperhatikan.

Di sela perdebatan di hatinya, Leony mendengar suara anak kucing di dekat pintu pagar. Dengan rasa ingin tahu sekaligus iba dia mengikuti arah suara. Benar saja, seekor anak kucing tampak gemetar di luar pagar. Leony teringat ada sisa roti di dapur.

Ketika hendak menutup pagar tiba-tiba rambutnya ditarik dengan sangat kuat, hingga tubuhnya terlempar keluar pagar. Leony berusaha berteriak dan melawan sebisanya.

Namun tenaga orang asing itu sangat kuat.

Meski kaki Leony menendang berkali-kali tapi seolah dia bergeming. Bahkan dia memukul Leony hingga roboh. Ada rasa nyeri seiring tangannya menyentuh sesuatu yang basah mengalir dari perutnya. Dia bahkan tak bisa melihat tangannya meski ingin.

Leony hanya bisa merasakan tubuhnya diseret lalu semuanya gelap, tapi dia masih bisa mengenali suara Ikhsan memanggil namanya.

"Leony! Onny, bangun, On! Tolong, bangunlah!" Namun suara itu semakin samar. Lalu hilang, yang ada hanya gelap.

Dua Puluh Sembilan

Sudah lima hari Leony koma. Luka akibat penyerangan itu cukup parah. Luka tusuk di perutnya hampir mengenai organ dalamnya. Tiga luka tusukan sekaligus cedera di kepala akibat hantaman benda keras yang nyaris mematikan.

Pelakunya laki-laki berusia sekitar lima puluh tahun. Orang 'sakit' yang mengira Leony adalah mantan kekasihnya. Setelah ditangkap dan dimintai keterangan penyidik berhasil mengungkap dari beberapa saksi orang terdekat pelaku, mantannya itu sudah lama meninggal, dua puluh tahun yang lalu.

Rupanya dia sudah lama dikurung keluarganya karena sakitnya itu. Kemudian ketika keluarganya meninggal dia hendak dititipkan di sebuah panti yang menangani ODGJ, namun dia keburu kabur sebelum petugas panti datang menjemput, yang kemudian menjadikan Leony korban penyerangan.

Semua kawan-kawan Leony sudah berkunjung, termasuk Kiara. Mereka semua menangis melihat keadaan Leony, apalagi Prita. Deni sampai harus menenangkannya cukup lama. Mereka berkunjung berdua, terpisah dengan kawan-kawan lain. Tim dapur bersama Mbak Rita pun berkunjung di hari yang berbeda.

Robi yang masih sering datang, Bahkan Big Boss, Mr. Robin-Owner dari Café Destiny juga sudah berkunjung sambil memberi santunan pada Lastri, dan menanggung biaya rumah sakit yang tidak ditanggung BPJS. Mr. Robin juga langsung memperbaiki sistem keamanan di area belakang, mengganti pagar agar lebih tertutup sehingga lebih aman.

Sejak Leony koma, Lastri dan Tio bergantian menjaga di rumah sakit. Lastri sudah menjaga sejak pagi sampai Tio datang menggantikannya. Dia masih harus menyelesaikan jahitan yang mulai menumpuk di rumah. Bagaimanapun masih banyak kebutuhan untuk dipenuhi, karena dia tak tahu kapan anak gadisnya akan bangun, walaupun setiap detik doa itu dia rajut, berharap segera terwujud.

Lastri mencium kening anak gadisnya yang seolah tertidur. Tio memberi pelukan pada ibunya untuk menguatkan, meskipun tak dipungkiri dia pun membutuhkannya. Lastri pergi dengan mata yang hampir selalu basah.

Sesaat setelah ibunya pergi, Tio duduk di bangku yang sebelumnya digunakan ibunya, bangku satu-satunya di sana. Digenggamnya jemari kakaknya yang diam. Seolah kakaknya bisa mendengarnya, Tio mulai berbicara.

"Mbak lagi mimpi apa? Apa mimpinya bagus banget sampai gak mau bangun?" Tio menarik napas yang tiap hari terasa makin berat. Seperti godam sedang bergelantung di paru-parunya. Dia merapikan selimut yang membungkus kakaknya sebagai pengalih kesedihan.

"Bangunlah, Mbak. Gak capek tidur terus? Gak bosen? Aku udah pengen makan bakso Pak Breng, tapi kata ibu nunggu Mbak Onny bangun." Tio berhenti, matanya mulai mengembun. Dia melanjutkan dengan suara yang sedikit tercekat.

"Bangunlah, Mbak. Gak pengen ngomelin aku? Kemarin motornya kebaret ama si Duki. Ntar kalau Mbak Onny udah bangun baru aku benerin. Aku bentar lagi ujian, kalau Mbak gak bangun-bangun mana bisa aku konsentrasi ngerjain soal, kalau Mbak bangun pasti sudah bilang, 'Alasan!' Emang sih alasan, tapi aku benar-benar pengen Mbak Onny bangun ...." Tio berkata sambil merebahkan kepalanya menyamping masih dengan menggenggam tangan kakaknya. Namun dia tak berhenti bicara, hingga dia tertidur.

Tiga Puluh

Jam 23.35 seorang pria masuk ke area rumah sakit dan langsung menuju ruangan tempat Leony dirawat tanpa bertanya, seolah dia sudah terbiasa keluar masuk disana.

Tiba di kamar Leony, dia bisa melihat Tio yang tertidur dengan tangannya masih menggenggam jemari Leony. Dengan lembut dia menepuk pundak Tio berulang-ulang.

"Tio, bangun Yo ... Yo, bangun."

Dia berhenti menepuk ketika dilihatnya Tio mulai membuka mata. Tio menggeliat ketika melihat siapa yang datang, lalu tersenyum.

"Bang Ikhsan sudah datang. Udah lama, Bang?" tanyanya pada orang yang membangunkan lelapnya. Ikhsan hanya tersenyum.

"Abang gak capek? Kerja seharian penuh, tidurnya di rumah sakit." Tio berkata sambil memberskan bungkusan makanan yang tadi menemaninya.

"Gak,lah. Gak pa-pa. Kalau gak gini aku malah kepikiran," Ikhsan berkata dengan suara yang terdengar lelah.

"Padahal kita gak pernah nyalahin Abang. Abang jangan ngerasa bersalah." Tio berusaha untuk tidak terbawa perasaan tapi dia sangat salut pada Ikhsan.

Dia bahkan melihat Ikhsan sama sekali tak mengeluh ketika harus berlari ke sana kemari mengurus semua hal saat kakaknya masuk IGD. Tio bahkan berpendapat bahwa kakaknya sungguh beruntung, tapi apa artinya jika kakaknya sendiri masih berjuang untuk bangun.

"Iya, aku tahu." Ikhsan menjawab singkat sambil menepuk bahu Tio.

"Suster tadi sudah ngecek, kok, Bang. Abang bisa istirahat." Kata Tio sambil menatap ke arah Ikhsan.

Entah apa yang mendorongnya untuk memeluk Ikhsan, lalu dia berkata, "Makasih, Bang."

Ikhsan tak menyangka Tio bisa serapuh itu. Meski tanpa melihat Ikhsan bisa mengenali suara Tio yang bergetar karena menahan tangis.

Meskipun laki-laki, ada saat di mana hal tak bisa dihadapi dengan keras. Tio yang kehilangan figur ayah, lalu kini harus menghadapi kondisi kakak perempuannya yang sedang berada di antara hidup dan mati, sedangkan mereka hanya memiliki satu sama lain. Ikhsan sangat memahami itu.

Ikhsan menepuk punggung Tio seperti kakak yang sedang menenangkan adiknya. Hingga Tio melepaskan pelukan dan bergegas berjalan ke luar kamar.

Begitulah. Ikhsan tak bisa berhenti menyesali dirinya, kenapa dia malah pergi meninggalkan gadis itu sendiri, bukan memaksanya masuk. Harusnya dia memaksanya, menarik, mendorong, kalau perlu menggendongnya, biar kejadian seperti ini tak harus dia khawatirkan. Tak masalah jika dia dibilang jahat atau apapun yang senada, dia hanya ingin Leony baik-baik saja. Namun, semuanya sudah terjadi.

Ikhsan bahkan tak bisa lupa pemandangan yang dia lihat ketika menemukan Leony usai bergulat dengan pelaku. Dia tak ingat telapak tangannya pun terluka karena tusukan senjata, dia hanya melihat Leony yang dipenuhi darah di bagian kepala dan perutnya. Dia mengingat betul apa yang membuat air matanya tak bisa ditahan untuk tidak keluar, kenyataan bahwa dia bisa kehilangan Leony. Kemungkinan itu benar-benar meracuni perasaannya.

Jangan tinggalkan aku, Leony, please. Masih banyak hal yang ingin kusampaikan padamu.

Tiga Puluh Satu

"Jadikan aku apapun bagimu, selama aku bisa memastikan kau baik-baik saja, Leony. Kau dengar itu? Kecemasan membuatku menghamba padamu."

Ikhsan menggenggam jemari Leony, mengusap punggung tangannya yang mulai terlihat pucat. Sudah direndanya doa sepanjang napas yang mengaliri rongga dadanya sejak kejadian mengerikan itu menimpa gadis yang sedang terbujur di depannya ini.

Lelah? Sangat! Tapi dia takkan memaafkan dirinya sendiri jika harus membiarkan Leony menghadapi semuanya sendirian.

Aku tak akan menyerah padamu, Leony. Tak akan.

Ingatannya kembali pada masa di mana mimpi buruk itu selalu menghantuinya. Tentang sosok gadis berlumuran darah di pangkuannya. Meski dia tak mengenal gadis itu tapi dia bisa merasakan betapa nyeri dan ngilu di dada juga perasaannya melihat pemandangan itu.

Hampir tiap malam dia memimpikan hal yang sama. Dua minggu kemudian dia mendapati seorang gadis bernama Leony masuk dan bekerja di kafe yang sama di mana dia sudah lebih dahulu ada di sana.

Siapa sangka jika gadis itu adalah serupa sosok yang dilihatnya dalam mimpi-mimpi suramnya, yang nyaris selalu membuat matanya menggelap seperti panda. Sekuat hati dia menjauh dan mengusir bayangan itu pergi.

Tak banyak berkata dan seolah menjaga jarak dengan sikap yang dingin adalah satu-satunya cara baginya menjauh dari Leony, membuat gadis itu membencinya agar mereka tak bisa dekat. Tapi mimpi itu makin sering datang, makin nyata, seolah hatinya ikut tercabik-cabik setiap adegan itu berulang dengan kesakitan yang sama.

Ini bukan yang pertama. Kisah yang lebih buruk pernah menimpanya, dua tahun yang lalu. Mimpi yang hampir sama, dia pun berusaha menghindar meski gadis yang kala itu hadir di mimpinya adalah cinta masa kecilnya. Namun mereka sudah terpisah jarak, sehingga Ikhsan dengan mudah mengabaikannya.

Namun berita kematian Delia—*cinta masa kecilnya*—dua bulan kemudian setelah mimpi itu menghantuinya sontak membuat Ikhsan menuai penyesalan. Harusnya dia bisa melakukan sesuatu untuk mencegahnya. Dengan memperingatkannya mungkin, atau apalah yang penting usaha, bukan menyerah. Seminggu penuh Ikhsan mengurung diri, tenggelam dalam sesal teramat dalam.

Lalu kini, ketika mimpi-mimpi itu datang lagi, dia tak ingin mengulang kesalahan yang sama. Pasti ada alasan kenapa mimpi itu datang berulang, dengan sosok yang serupa, meski saat itu Ikhsan belum mengenalnya.

Namun Ikhsan tak menampik jika dia kemudian jadi sangat peduli dengan gadis ini, Leony Fahira. Meaki dia enggan menyebutnya cinta, namun jujur, makin ke sini dia tak bisa melewati hari dengan normal tanpa melihat dengan mata kepalanya sendiri bahwa gadis ini dalam keadaan baik-baik saja. Jika itu disebut cinta, maka jadilah. Karena sungguh, melihat gadis yang belakangan membuat perhatiannya terampas kkni berbaring terlalu tenang. Ini membuatnya takut, Ikhsan tak ingin kchilangan … lagi.

Jadikan aku apapun bagimu, selama aku bisa memastikan kau baik-baik saja, Leony. Kau dengar itu? Kecemasan membuatku menghamba padamu. Puas, kau sekarang? Tak hanya menerorku dengan mimpi buruk berbulan-bulan, kau masih saja lanjut menyiksa dengan rasa yang tak bisa kukendalikan. Meski aku tahu kau tak menyadarinya, tapi biarkan aku luapkan emosiku sekarang.

Apapun itu, aku rela. Ini kesengsaraan termanis yang pernah kurasakan. Meski begitu aku tak ingin semua berulang. Bangunlah, kita mulai dari awal dengan cara yang berbeda. Jika kau perlu kata-kata cinta hanya demi membuatmu bertahan baik-baik saja di sampingku, maka aku akan mengatakannya berulang-ulang.

You are my destiny, Leony. So wake up, please...

Tiga Puluh Dua

"Aku harus jadi siapamu dulu, baru kau bisa menurut? Demi Tuhan! Aku bicara tentang keselamatanmu, kenapa harus jadi ribet, sih!"

Kata- kata itu selalu terngiang di pendengarannya, seperti *scene* yang diputar berulang-ulang. Leony ingat betul siapa yang mengatakan itu namun tak bisa menemukan pemilik suara itu, karena seolah tertimbun hiruk pikuk suara yang lain.

Leony kerap mendengar isak ibunya kala berbicara padanya. Akhir-akhir ini ibunya sering menangis, membuatnya ingin menggenggam tangan perempuan yang telah melahirkannya dua puluh empat tahun yang lalu itu.

Dia juga mendengar suara adiknya yang bergetar memintanya untuk bangun. Leony bahkan tertegun, tak pernah sekali pun mendengar Tio sesedih itu, kecuali saat ayahnya meninggal. Itu pun Leony harus membangunkannya karena tertidur di lemari pakaian.

Leony merasa tubuhnya begitu berat, ingin menggapai namun tak sampai. Dia hanya mendengar sementara yang dilihatnya hanya ruangan bersinar, meski sesekali menjadi begitu gelap.

Dia ingin bangun, namun tubuhnya seolah tak mau. Sampai usapan itu kembali dirasakan menyentuh punggung tangannya. Sebuah sentuhan yang bagi Leony serupa gelombang sonar yang hanya bisa dibaca oleh perasaannya. Leony tak mendengar suara, namun hatinya begitu mengenalinya. Hangat, seolah mendekap dengan sepenuh jiwa.

Lagi-lagi Leony ingin bangun. Dia merasa harus bangun. Masih ada ibu dan Tio yang membutuhkannya. Juga orang itu, yang selalu menggetarkan hatinya meski tak pernah terlihat wujudnya, tapi dia sangat tahu dia selalu ada untuknya.

Bahkan di sudut hatinya yang paling tersembunyi, selalu terdengar isakan pinta kepada pemilik semesta agar memberi kesempatan padanya untuk bisa bahagia. Bersama orang-orang yang mencintainya. Air matanya menetes, membasahi doa-doa yang sedang dipintalnya.

Yaa ... Allah, jika masaku telah habis tolong beri ibu dan Tio pengertian, agar mereka tak terlalu berat melepasku. Namun jika belum tiba akhir dari waktuku, bantu aku untuk bertahan.

Gadis itu memohon dengan pasrah kala pandangannya menjadi gelap, menyerahkan jiwa raganya pada satu-satunya penguasa atas hidup dan matinya. Air matanya tak terasa mengalir satu-satu.

Tiba-tiba dia merasa tangannya tergenggam erat, tubuhnya seperti tertarik jatuh. Namun dia sudah berserah, seolah yakin akan ada tangan yang bersiap menerima kejatuhan di punggungnya untuk menahannya dari hempasan keras.

Dalam gelap itu Leony merasakan tarikan maha dahsyat yang menghempaskan tubuhnya begitu kuat seolah terlempar jatuh! Meluncur makin jauh .... Kemudian ... *Slaap ...!*

Leony terbangun.

Matanya perlahan terbuka, yang terlihat hanya ruangan bernuansa putih. Leony susah payah mencoba mengumpulkan ingatannya. Satu per satu kilasan adegan muncul di kepalanya.

Perlahan dia mulai ingat semuanya. Gambaran tentang kucing kecil lemah yang kelaparan, hingga kesakitan yang diterimanya saat dia berjuang untuk tetap sadar, sampai dia harus tergolek di atas brankar.

Leony mengerjap-ngerjapkan matanya, mencari tahu keberaannya. Dia menjelajahi ruangan dengan pandangannya, menemukan seseorang sedang tertidur menelungkup pulas di atas tempat tidur dengan posisi masih duduk di sebuah bangku. Leony tertegun tak menyangka, ketika sesaat kemudian dia mulai mengenalinya.

Apa yang dia lakukan di sini?

Tiga Puluh Tiga

Leony tertegun tak menyangka, ketika sesaat kemudian dia mulai mengenalinya.

Apa yang dia lakukan di sini?

Orang ini, yang kata-katanya selalu terngiang di kepala. Orang yang selalu terobsesi dengan keselamatannya. Orang yang membuatnya menyesal sudah mengabaikan semua perhatiannya.

Leony mencoba menggerakkan tangannya. Tak sengaja menyentuh area wajah, yang kini sedang pulas meski miring dengan mata terpejam. Kulit di ujung jarinya terasa dingin.

Leony menyentuh dengan hati-hati, tak ingin membangunkannya namun kembali memejamkan mata ketika menyadari di sela-sela kelopak mata yang tersentuh olehnya basah.

Benarkah orang ini menangis? Siapa yang dia tangisi? Aku?

Leony masih terpejam, sesaat kemudian air mata mengalir satu-satu. Ditariknya napas dalam-dalam, menarik semua udara yang dia bisa, untuk melanjutkan apa yang harus dia hadapi sekarang.

Kemudian dia menyentuh wajah orang yang tertidur itu sekali lagi sambil menyebut namanya dengan suara lemah.

"Kak Ikhsan ... Kak ...."

***

Hampir dua minggu Leony dirawat di rumah sakit. Siang itu dia sudah boleh pulang. Lastri dengan semangat memasukkan baju dan selimut anak gadisnya ke dalam *travel bag*.

Lega serta rasa syukur tak henti tergambar di wajah lelahnya. Lastri bahkan tak berani meminta lebih selain kesembuhan putri tercintanya.

"Alhamdulillah, sudah boleh pulang, ya, Mbak? Lega banget."

Lastri memasukkan bingkisan dari para pengunjung menjadi dua tas plastik besar, berisi buah dan kue. Sebuah keranjang bunga dengan kartu bertuliskan "Dari Prita" juga nampak menunggu untuk dibawa.

"Iya, Bu. Alhamdulillah." Jawaban singkat dari Leony membuat Lastri menengok ke arah permata berharganya itu, sekadar memastikan dia baik-baik saja. Leony tersenyum ketika menemukan ibunya sedang menatapnya. Lastri menghampirinya lalu mereka berpelukan. Seolah saling mengungkapkan kelegaan karena sudah terlepas dari marabahaya.

Hanya lima detik, kemudian Lastri melanjutkan kegiatannya yang tertunda.

"Ibu ambil kursi roda dulu, ya? Jangan ke mana-mana!" Lastri berpesan dengan nada tegas.

"Iya, Bu. Lagian aku mau ke mana? Jalan aja aku masih malas." Leony tersenyum pada ibunya untuk meyakinkan.

"Assalamu'alaikum." Sebuah suara menyeruak ke dalam bangsal diiringi bunyi roda berderit dari kursi roda yang sedang didorong masuk mendekat brankar. Leony terkejut, namun dia segera menyungging senyum.

"Wa'alaikummussalam warohmatullaahi wabarokatu. Loh, Nak Ikhsan sudah bawa kursi roda rupanya. Alhamdulillah, ibu gak perlu jauh-jauh ambilnya. Makasih, ya, Nak Ikhsan." Ikhsan membalas dengan anggukan disertai membungkuk untuk mencium takzim punggung tangan Lastri yang menyambut kedatangan pemuda itu dengan wajah sumringah.

"Hai!"

Tiga Puluh Empat

"Hai!" sapanya pada Leony yang tersenyum ke arahnya.

"Ha, juga, Kak! Kirain masuk pagi," Leony membalas sapaan Ikhsan dengan riang, tersenyum canggung. Sedikit malu-malu bercampur haru mendapati Ikhsan begitu terlihat dekat dengan keluarganya.

"Gak, dong. Kan kamu pulang. Kasihan Ibu kalau sendirian. Tio juga gak mungkin bolos sekolah, kan?" ucapan Ikhsan yang panjang lebar membuat Leony tertegun. Sejak kapan seniornya yang super jutek ini bisa selancar ini berbasa-basi. Meski Leony tahu ini bukan sekadar basa-basi.

Lastri tersenyum menanggapi kata-kata Ikhsan. "Sudah siap?" Lagi-lagi Ikhsan bertanya dengan pandangan lembut menghadap ke Leony. Refleks gadis itu mengangguk, membiarkan Ikhsan membantunya turun dari brankar dan duduk di kursi beroda. Tak lupa Lastri meletakkan keranjang bunga pemberian Prita di pangkuan Leony.

Di punggung telapak tangannya masih ada lubang di mana jarum infus tertanam di sana pada hari-hari sebelumnya. Leony mengusapnya dengan perasaan yang campur aduk. Sakit yang teramat sangat, namun bibirnya melengkung senyum kala teringat debar yang penuh warna di tiap harinya, sebagai bayaran atas segala perihnya.

Dia tak munafik bahwa peristiwa itu adalah sekaligus menjadi momen terpenting baginya. Hari-hari setelah Leony terbangun dari koma adalah masa-masa seindah surga, dia akan tersenyum tiap kali mengingatnya.

Seperti sekarang, ketika dia berada di atas kursi roda dengan Ikhsan yang mendorongnya di belakang kembali mengingatkannya pada salah satu momen yang takkan terlupa.

Saat itu dua hari setelah dia tersadar, Ikhsan membawanya mencari udara segar di area taman. Kursi roda yang dia duduki kala itu seolah ikut berdetak mengikuti irama jantungnya yang bergejolak.

Tubuhnya memang lemah, tapi sesuatu di dalam dadanya seolah menolak untuk tenang. Itu yang membuat Leony terdiam sepanjang ada Ikhsan di sampingnya. Dia tak ingin tiba-tiba jantungnya melompat keluar, karena dia benar-benar tak mampu mengendalikannya.

"Aku minta maaf. Sudah sangat teledor membuatmu mengalami hal mengerikan seperti itu." Ikhsan tiba-tiba sudah berjongkok di hadapannya. Kepalanya menunduk, menandakan penyesalan yang teramat dalam.

"Harusnya aku tak meninggalkanmu. Aku terlalu marah hingga jadi egois. Maaf." Leony tak berkata sepatah pun. Jangankan menanggapi, melihat pun dia enggan.

Bukan apa-apa, dia hanya takut jika kemudian dia kan menggila dan memeluk Ikhsan demi meyakinkan laki-laki itu bahwa dia baik-baik saja. Dia sudah cukup bersyukur karena selamat, dan Ikhsan mencemaskannya, *that's all the matters.*

Bagi Leony itu kemewahan. Dia pun takkan bisa menjelaskan kenapa itu bisa disebut mewah. Bukankah banyak rasa yang tak perlu dijelaskan? Sebagian hanya butuh dirasakan. Karena tak ada kata yang bisa mewakili, maka tak perlu repot mencari. Ini soal hati.

Memori itu yang membuatnya tersenyum sepanjang perjalanan. Hingga taksi online yang mereka tumpangi memasuki halaman yang sangat Leony rindukan. *Rumah.*

Tiga Puluh Lima

Leony sedang duduk di ruang tamu, sekadar menikmati kepulangannya setelah musibah itu sempat menidurkannya untuk beberapa waktu. Mensyukuri hari di mana dia bisa bangun dan melihat orang-orang tercintanya kembali.

Pikirannya menerawang jauh, saat ibunya datang dengan tiga cangkir teh yang terlihat masih mengepulkan asap tipis-tipis disertai setoples biskuit kelapa.

Kesukaan Leony mencelupkan cemilan itu ke dalam teh lalu memasukkannya ke mulut sebelum benar-benar hancur. Tapi sepertinya dia harus menunggu suhu tehnya sedikit menurun, daripada harus merelakan lidahnya tersengat air yang masih mengepul.

"Nak Ikhsan, minum tehnya dulu. Sudah, nanti biar ibu yang bereskan. Jangan terlalu merepotkan diri, ditemani jemput Onny aja ibu udah seneng," terdengar Lastri berbicara dari dalam.

Leony bisa mendengar suara Ikhsan meng-iya-kan, lalu terdengar lagi saat dia minta izin ke kamar mandi. Tak lama kemudian Lastri kembali ke depan, duduk di samping Leony.

"Kak Ikhsan habis ngapain, Bu?" Leony bertanya usai ibunya meletakkan cangkir teh yang sebelumnya disesapnya. Tarikan napas yang terdengar berat terhembus dari perempuan paruh baya yang sangat disayanginya itu.

"Nak Ikhsan tuh habis beresin kamarmu, Mbak. Mindahin meja biar gak menghalangi jalanmu gitu, loh. Ibu sudah bilang biar nanti ibu sama Tio yang mindahin. Eh, malah di pindahin sendiri. Tuh kamarmu sudah agak lega sekarang." Lastri menjelaskan panjang lebar.

"Hah? Kak Ikhsan beresin kamarku? Duh, ibu, kenapa dibolehin?" Leony bingung mesti bersikap bagaimana. Dia malu.

"Yo mana mungkin ibu gak bilangin. Nak Ikhsan aja yang kelewat rajin." Lastri terkekeh membuat Leony makin tak enak hati.

Diingatnya lagi jika ada hal-hal yang mungkin bisa dilihat Ikhsan di sana. Sepertinya tak ada yang penting. Leony juga bukan tipe orang yang suka menulis buku diary, jadi sepertinya aman.

"Ayo aku antar ke kamar." Tiba-tiba Ikhsan sudah di depannya. *Haiisshh, ternyata aku kelamaan bengong,* Leony merutuki dirinya yang terlalu fokus dalam lamunannya.

"Tapi aku masih ingin duduk di sini, Kak." Leony mencoba bernegosiasi. Ikhsan menarik napas panjang lalu mengambil tempat di sebelah Leony, menyesap teh buatan nyonya rumah, lalu meletakkan cangkirnya seolah porselen paling mahal se-Eropa. Padahal itu hadiah dari menukarkan bungkus kopi di warung depan. Leony jadi teringat warungnya sudah tutup karena bangkrut.

"Bentar lagi aku mau berangkat kerja. Kalau kamu gak masuk kamar sekarang, kasihan nanti ibu harus ngangkat-ngangkat kamu. Lagian ... aku hanya bisa tenang berangkatnya kalau kamu sudah ada di kamar." Ikhsan berkata dengan suara lembut.

Leony tak menyangka Ikhsan bisa selembut itu. Beda jauh dengan Ikhsan yang dia kenal selama ini.

"Ya, udah. Ayo." Akhirnya dia mengalah, membiarkan Ikhsan sekali lagi membantunya berjalan.

Tak ada kursi roda, jadi Ikhsan benar-benar harus memapahnya. Sampai di ruang tengah Ikhsan kembali bertanya. Suaranya begitu dekat di telinga Leony. Tentu saja dekat, bahkan tubuhnya kini harus bersandar ke seniornya itu.

"Mau ke kamar mandi dulu? Biar sekalian." Leony sepertinya tak perlu menolak karena menurutnya itu lebih efisien. Lastri ikut membantu memeganginya saat hendak masuk kamar mandi.

Keluar kamar mandi, Ikhsan sudah menunggu di depan pintu. Tanpa bersuara dia menunduk ke arah Leony dan mengangkat tubuhnya dengan sekali tarik.

"Maaf." Hanya itu yang terucap dari mulut Ikhsan saat menggendong Leony menuju ke kamar dan meletakkannya di tempat tidur. "Aku sudah minta izin ke ibu, jadi jangan protes."

Tiga Puluh Enam

"Maaf." Hanya itu yang terucap dari mulut Ikhsan saat menggendong Leony menuju ke kamar dan meletakkannya di tempat tidur. "Aku sudah minta izin ke ibu, jadi jangan protes."

Leony tak berkata apa pun selain menghela napas seraya berucap, "Terima kasih."

Di sampingnya kini ada meja kayu yang setia menungguinya sejak dulu, sebagai tempat di mana dia merutuki tugas sekolah.

Sebelumnya meja itu selalu menghuni sudut di samping lemari, kini dia berpindah jadi tempat untuk meletakkan teko air, juga obat-obatan dari dokter. Ini agar Leony tak kesulitan menjangkaunya sari tempat tidur, Ikhsan yang mengaturnya.

Leony membayangkan mungkin saja meja itu merindukannya karena sejak bekerja dia jarang duduk di sana meski sekadar membaca. Leony lebih memilih merebahkan diri di atas ranjang yan mulai tepos namun sangat dia rindukan setiap pulang kerja.

Tapi tunggu dulu! Leony baru menyadari jika tempat tidurnya jauh lebih nyaman. Bukan lagi kasur busa usang yang mulai kempis. Dia berencana akan menanyakan pada ibunya, nanti.

Ikhsan bahkan meletakkan toples dan cemilan lain di atas piring, seolah tak ingin Leony kelaparan.

Ada-ada saja. Kan ini rumahku, dia lupa kalau ada menteri pengadaan bahan pangan di sini. Ada Ibu, kenapa seolah dia yang paling repot di dunia. Haissh.

Leony menghela napas panjang.

"Udah, Kak. Berangkat aja, nanti telat. Kasihan ama yang lain." Leony berusaha mengingatkan laki-laki yang sejak tadi masih mondar-mandir mengambil ini-itu. Ikhsan bukannya tidak mendengar tapi dia merasa masih ada waktu.

Sesekali terdengar suara Ikhsan berbicara dengan Lastri perihal jadwal kontrol dan seputar itu. Lalu akhirnya dia kembali ke kamar Leony, dan mendapati gadis itu sedang melipat tangan di dadanya.

"Iya, aku berangkat." Alih-alih pergi, Ikhsan malah duduk di samping tempat tidur, memandangi Leony lekat.

Laki-laki tinggi itu menarik napas panjang. Mengumpulkan kata-kata yang sepertinya berserakan entah di mana, padahal sedari pagi dia sudah merancang beberapa kalimat untuk menjadikan semuanya jelas, setidaknya baginya … juga bagi Leony.

"Mulai sekarang kamu tanggung jawabku. Keselamatanmu ada dalam pengawasanku. Jadi kumohon, menurutlah. Demi kebaikanmu … juga kita." Ikhsan berdiri hendak keluar, namun terhenti saat Leony bersuara dengan nada tak mengerti.

"Maksudnya?" Leony masih mendongak menanti jawaban, tapi sepertinya harapannya sia-sia karena Ikhsan segera menghilang dari pintu yang sedari tadi sudah terbuka. Sengaja tak ada yang menutup, karena bagaimanapun Ikhsan bukanlah keluarga.

Tapi kemudian Ikhsan kembali masuk ke dalam kamar dengan bergegas lalu meletakkan ponsel Leony di meja.

"Aku sudah setel panggilan ke nomorku jika kau memerlukan sesuatu. Tinggal tekan angka tiga. Jangan lupa minum obatnya. Aku pergi dulu." Tangan Ikhsan hendak terulur ke arah kepala Leony, namun urung.

Kemudian dia keluar kamar setelah mengucap salam. Leony menjawabnya dengan pikiran melayang.

Tiga Puluh Tujuh

Leony mendengarnya berpamitan pada ibunya dan mengatakan akan datang esok hari. Dia pun mendengar ibunya mengucapkan terima kasih berkali-kali pada laki-laki itu.

Leony masih termenung di kamarnya, mencerna kembali kata-kata Ikhsan yang seolah mendengung di ruang dengarnya. Namun berapa kali pun dia berpikir, Leony tak ingin salah mengira atas apa pun yang Ikhsan lakukan untuknya.

Bisa jadi apa yang dia lakukan karena dia peduli sekaligus merasa bersalah. Jangan ge-er dulu, Onny.

Haiissh ....

***

"Mulai sekarang kamu tanggung jawabku. Keselamatanmu ada dalam pengawasanku. Jadi kumohon, menurutlah. Demi kebaikanmu ... juga kita."

Masih saja kalimat itu terngiang di kepalanya. Mengaduk-ngaduk pikirannya, mengajaknya untuk *traveling* ke tempat yang terlalu indah, sedangkan kakinya seolah lekat tertanam di tanah.

Tidak! Tak ada hal yang jelas di sana. Leony tak ingin berandai-andai meskipun debar di hatinya menginginkan sebaliknya. Dia hanya ingin fokus untuk memulihkan kesehatannya agar dia bisa kembali bekerja.

Leony mengangkat cangkir teh di depannya, meniupnya sesaat lalu mendekatkan ke bibirnya, menyesapnya dengan hati-hati, tak ingin lidahnya terbakar.

"Nak Ikhsan itu baik, ya." Lastri berkata sambil meletakkan toples biskuit di meja, memecahkan gelembung angan di kepala Leony seketika.

Leony yang sedang menikmati teh hangat di suatu sore yang indah seketika terbatuk, kala ada beberapa tetes air yang salah masuk ke tenggorokannya. *Sakit.*

"Ibu nih, kenapa bilang gitu, sih. Bikin keselek aja." Usaha Leony untuk menutupi keterkejutannya tak terlalu berhasil. Lastri hanya terkekeh melihat anak gadisnya yang memprotes pertanyaannya.

"Lha kamu juga aneh, wong ibu bilang gitu udah batuk-batuk, apalagi kalau ibu nanya kapan Nak Ikhsan ngelamar, bisa-bisa kamu *mumbul nang wuwung*." Lastri berseloroh setelah mengambilkan air putih untuk meredakan batuk Leony.

"Ibu, nih, jangan bercanda, dong. Jangan ngomong yang aneh-aneh. Ntar ada yang dengar dikira aku yang halu." Leony terlihat cemberut sambil mengusap bibirnya dengan tisu.

"Loh, berarti kamu gak suka, toh?" tembak Lastri langsung menatap anaknya.

"Yaa … meskipun suka, ya gak mungkin lah bu. Kak Ikhsan itu orang kaya, masih anak dari sepupunya Boss besar. Aku gak berani mimpi." Leony teringat cerita Robi kala itu, saat membahas Ikhsan yang selalu menatapnya dengan penuh arti.

"Dia tuh ternyata masih keponakan Boss. Anak dari sepupunya." Begitu kalimat Robi saat itu. Faktor yang juga membuat Leony kemudian sedikit menjaga jarak. Tapi perasaan memang tak bisa bohong, jika debar itu masih tertuju pada sosok seniornya yang super jutek itu.

"Yang penting kamu suka toh, Mbak?" Lastri tiba-tiba bertanya lagi, membuyarkan lamunan Leony yang sedikit tertarik ke belakang.

Namun Leony hanya menghela napas panjang, membuangnya seketika demi meringankan himpitan yang menyesaki dada.

"Ibu jangan bikin aku bermimpi, ya." Leony memeluk ibunya sambil tersenyum.

"Yo, wis, kita serahkan sama Gusti Allah. Yang penting ibu dah tahu isi hatimu." Lastri membelai kepala anak gadisnya itu sambil sesekali mengusap punggungnya memberi kekuatan.

Aku tahu, memimpikanmu di sisiku serupa pungguk merindukan bulan mati. Hanya ada gelap tanpa tepi.

Tiga Puluh Delapan

Aku tahu, memimpikanmu di sisiku serupa pungguk merindukan bulan mati. Hanya ada gelap tanpa tepi.

"Tio ke mana ya, Bu? Kok belum pulang?" tanya Leony sambil membenahi rambutnya yang terurai, mengikatnya asal karena masih basah.

"Katanya ke rumah Dito. Ada tugas sekolah," Lastri menjawab sambil membawa masuk cangkir yang isinya sudah berpindah, kosong.

"Udah Isya' loh, ini. Aku coba telpon, deh. Takutnya mogok lagi " Leony tampak cemas.

"Iya, ya. Yo wis ndang ditelpon, adikmu." Kalimat Lastri membuat Leony segera menekan nomor di ponselnya.

"Nomor yang anda tuju tidak bisa dihubungi …." Suara operator terdengar di ujung sana. Sepertinya ponsel Tio mati.

"Hapenya mati, Bu. Aku gak tau nomor kawannya." Lastri semakin terlihat cemas mendengar perkataan Leony.

Semenit, dua menit, ibu dan anak itu terlihat tenggelam dalam pikiran dan doa masing-masing, hingga terdengar suara motor memasuki halaman.

Lastri dan Leony segera keluar rumah hampir bersamaan. Leony tiba lebih lambat karena dia memang belum bisa berlari, namun itu sudah jauh lebih baik, dan Leony tak bisa berhenti bersyukur atas itu.

Ibu dan anak itu mendapati Tio yang turun dari boncengan pria berjaket kulit. Motor yang dikendarainya terlihat mahal, Leony bahkan tak mengenali merekanya, yang dia tahu pernah melihatnya di iklan sebuah majalah trendy.

Tio langsung mencium punggung tangan ibunya, namun Lastri yang tadi sempat cemas kini memeluk anak laki-laki satu-

satunya itu. Kecemasannya sudah berganti dengan senyum penuh syukur dan rasa lega tak terukur.

"Syukurlah, *Le*, kamu sudah nyampe rumah." Lastri menepuk-nepuk bahu anaknya dengan rasa lega luar biasa.

"Motornya mogok, Bu. Di bengkel gak bisa cepet, harus ditinggal. Untungnya ada Bang Ikhsan." Tio menunjuk ke arah laki-laki berjaket kulit yang kini sudah melepas helm *full face*-nya. Terlihat Ikhsan menghampiri Lastri usai menyangkutkan helm di spion motornya.

Leony membulatkan matanya, menatap adiknya penuh curiga. *Kok bisa ketemu Ikhsan?*

"Walah, Nak Ikhsan. Terima kasih, lagi-lagi kok direpotin." Lastri menyambut uluran tangan Ikhsan yang mencium punggung tangannya dengan takzim. Untuk yang kesekian kalinya Lastri menepuk-nepuk bahu Ikhsan, kali ini dengan rasa syukur yang paling dalam, dari seorang ibu yang anak-anaknya sudah ditolong.

"Ndak apa-apa, Bu. Lagian saya memang tadi mau ke sini." Ikhsan menjawab dengan senyum sopan, membalas sekadarnya lalu diam. Dia hanya sekilas menatap Leony. Hanya sekilas namun dia melakukannya berulang kali. Seolah memastikan Leony tak menghilang dari pandangannya.

Leony bukannya tak tahu jika Ikhsan melihat ke arahnya. Telinga dan wajahnya serasa memerah. Seperti ada petasan di dadanya, juga kupu-kupu di perutnya.

Meski sudah hampir seminggu istirahat di rumah, Ikhsan bukan sekali dua kali datang. Dia selalu rutin memastikan perkembangan Leony. Bahkan mengantarnya kontrol sudah menjadi tugas tetapnya. Dia sudah berdiskusi dengan Deni untuk mengganti shift jika diperlukan. Untunglah dia sangat pengertian, mungkin karena Ikhsan banyak berjasa juga baginya, bagi Prita.

Meski sudah sering berinteraksi, Leony tetap tak bisa mengendalikan intensitas detak di jantungnya kala ada laki-laki itu di dekatnya.

"Pipi Mbak Onny kayak seragam Timnas ditempeli bunga, merah merona."

Tiga Puluh Sembilan

"Pipi Mbak Onny kayak seragam Timnas ditempeli bunga, merah merona." Tio mengedik-ngedikkan kelopak matanya menggoda kakaknya yang makin bersemu merah.

Tak ayal Leony membungkuk untuk melepas sandal dan segera mengirimnya melalui lemparan keras ke arah adiknya, tapi meleset. Tio berhasil menghindar dengan sangat baik. Latihan menghindari serangan 'maut' kakaknya nyatanya membuahkan hasil.

Tio terkekeh dengan tengilnya. Namun dia juga yang memungut sandal Leony dan mengantarnya sampai ke kaki Leony.

Namun Leony yang masih belum puas dengan santainya dia mengayunkan tangannya ke arah kepala Tio yang sedang menunduk.

"Ada nyamuk tuh di tengkuk." Leony berkata sambil menggerakkan jarinya seolah membuang bangkai nyamuk. Alhasil Tio meringis terkekeh sambil memakaikan sandal di kaki kakaknya.

"Diih, gitu aja dendam! Mukul nyamuknya serius banget." Tio mengelus kepalanya yang tekena pukulan cuma-cuma. Lastri melerai sambil ikut terkekeh, dia mengenal betul perangai anak-anaknya yang suka bercanda namun begitu saling menyayangi satu sama lain. Meski begitu dia mengelus-elus belakang kepala anak laki-lakinya, upaya meredakan sakit.

"Tadi mau nelpon Mbak Onny, tapi hapenya mati. Lagian percuma juga nanti jemputnya pake apa. Aku lihat Bang Ikhsan WA-nya aktif, aku coba nanya posisi, katanya mau ke sini. Ya udah aku minta disamperin. Karena motornya gak bisa kelar juga hari ini, Kata Bang Ikhsan suruh tinggal aja, makanya aku numpang pulang." Tio bercerita panjang lebar sambil cengengesan.

"Yo, wis. Yang penting sudah sampai rumah. Yuk masuk dulu, Nak Ikhsan. Ibu mau bikin kopi. Mbak, ajak Nak Ikhsan masuk." Lastri memberi instruksi sambil masuk ke dalam rumah bersama Tio yang merangkul ibunya.

Sesekali dia melihat ke arah Leony dengan pandangan usilnya, namun Leony tak memberinya kesempatan dengan mengabaikan pandangan adiknya itu, yang penting dia tadi sudah balas dendam.

"Kamu masih pengen kerja di Destiny?" Ikhsan mengawali pembicaraan setelah secangkir kopi yang ditemani sepiring pisang gire tersaji di depannya. Mereka sedang duduk di ruang tamu, Lastri di dapur, Tio terdengar pamit hendak mandi.

Kebiasaan di rumah itu memang jam berapa pun sampai rumah, mereka selalu merasa bisa beristirahat dengan baik setelah mandi. Jadi itu semacam aturan tak tertulis. Lagipula Lastri selalu mengingatkan anak-anaknya, jika tidur dalam keadaan bersih itu lebih nyaman dan membuat kamar, terutama tempat tidur lebih awet wangi, gak cepat bau. *Bener juga sih, kan keringatnya udah ilang.*

"Ya, iyalah, Kak. Emang Boss gak boleh aku masuk lagi?" Leony balik bertanya.

"Bukan gitu. Boss, sih gak masalah. Kamu tetap bisa masuk setelah sembuh."

"Aku sudah rindu semuanya. Kak Prita, Kak Deni, Robi, kangen sama roti cokelatnya." Leony berkat sambil pandangannya menerawang jauh, sesaat lupa jika ada orang lain di sisinya. Dia bahkan tak menyadari jika ada wajah yang mulai berubah keruh ketika sebuah nama disebutkan tanpa sengaja.

"Oh, jadi kangen Robi, ya. Oke, nanti aku sampaikan." Ikhsan berkata dengan nada datar.

Empat Puluh

Leony terkesiap, baru menyadari apa yang dia timbulkan barusan. Namun Leony tak berusaha menyangkal, karena toh sebaik apa pun Ikhsan, dia tetap bukan siapa-siapa. Dan Leony terlalu malu untuk menanyakannya, karena itu sama saja seperti orang yang tak tahu diri. *Sudah dibaikin tapi minta lebih.*

"Sebenarnya, ada yang ingin kusampaikan." Ikhsan berkata setelah menarik napas panjang beberapa kali.

"Apa, Kak?" Leony tak berani menduga-duga karena hatinya sedang sibuk merasa tak enak melihat raut wajah Ikhsan yang terlihat kembali dingin.

"Entahlah … apakah ini benar-benar ide yang baik. Mungkin lain kali saja." Ikhsan bangkit dari duduknya.

"Aku pulang dulu, sudah malam. Aku pamit ibu dulu." Leony tak sempat berkata ketika Ikhsan sudah masuk mendahuluinya untuk berpamitan pada ibunya.

Leony baru tersadar, sejak pulang dari rumah sakit Ikhsan memanggil ibunya dengan panggilan 'Ibu', bukan lagi 'tante' seperti di awal dia mengantarnya pulang dulu.

***

Tiga hari lagi Leony akan masuk kerja. Akhirnya. Setelah seminggu beristirahat di rumah, keadaannya sudah jauh lebih baik. Sudah tak tertatih, meski masih belum bisa berlari. Tapi Leony sudah memantapkan diri untuk masuk kerja.

Namun meski begitu, ada resah yang menggangunya. Karena sudah dua hari Ikhsan tak memunculkan diri di rumahnya. Bahkan sekedar bertanya lewat pesan pun tidak.

Leony hanya bisa menebak-nebak, apakah dia benar-benar sibuk? Karena tak mungkin dia marah dengan perkataannya tempo hari. *Atau tersinggung?*

Benarkah? Dia cemburu? Ah, gak mungkin, dia belum menyatakan apa pun. Sadar, Onny. Kamu hanya pungguk.

"Mbak, Ibu mau ngomong. Duduk dulu." Saat itu Leony sedang merapikan meja yang selama ini jadi tempat transit makanan yang ibunya siapkan. Lalu ikut menghempaskan diri di samping Lastri yang sudah lebih dulu duduk di ujung tempat tidur.

"Ada apa, Bu. Kayaknya serius banget." Enggan mengira-ngira, kepalanya sudah terlalu penuh, Leony bahkan tak bisa memikirkan satu pun ide tentang apa yang akan ibunya bicarakan sekarang. Kecuali tentang ....

"Nak Ikhsan ... pas kamu sakit, dia cerita banyak ke Ibu." Lastri menghela napas, lalu melanjutkan, "Ternyata selama ini dia selalu dihantui mimpi buruk tentang kamu, Mbak. Sejak kalian belum saling mengenal. Aneh, ya?" Lastri menatap putrinya dengan dahi berkerut.

"Maksudnya, Bu? Kenapa?" Leony sama sekali tak menduga hal itu yang didengarnya, sama sekali tak pernah terlintas di pikirannya. "Kenapa?" tanyanya lagi. Lastri menggeleng.

"Ibu juga bertanya seperti itu, tapi Nak Ikhsan pun gak tahu alasannya. Dia hanya merasa ingin melindungimu, Mbak. Makanya, pas dia minta izin buat jagain kamu, ya ibu gak nolak. Ibu juga seneng ada Nak Ikhsan. Ibu malah setuju kalau kalian nikah," Lastri mengucapkan kalimat itu dengan tersenyum.

Berbanding terbalik dengan Leony. wajahnya merengut, seolah ibunya telah mengatakan sesuatu yang membuatnya kesal.

Bagaimana tidak, jangankan menikah, pacaran aja nggak. Meskipun akhir-akhir ini mereka dekat, tapi tak ada pembicaraan ke arah penuh rona, kecuali perhatian Ikhsan tentu saja.

Namun Leony takkan menjadikan itu sebagai bukti jika Ikhsan menyukainya, tidak. Dia tak berani. Baginya itu terlalu lancang. Meski sulit, Leony berusaha menekan jauh semua harapannya.

Dia cukup tahu diri, tak mau membuat drama yang tak bisa diakhiri dengan indah seperti yang dia lihat di film-film bernuansa romansa. Dia bukan Cinderella.

Empat Puluh Satu

Dia cukup tahu diri, tak mau membuat drama yang tak bisa diakhiri dengan indah seperti yang dia lihat di film-film bernuansa romansa. Dia bukan cinderella.

"Nak Ikhsan sebenarnya pernah 'memintamu' pada ibu." Lastri berkata dengan hati-hati.

"Haahh?" Mulut Leony menganga, matanya membulat, lebih tepatnya membelalak karena terkejut dengan perkataan ibunya. Dia memastikan telinganya tidak salah dengar.

Buru-buru dia menangkupkan tangannya menutupi mulut, sambil tak henti-henti menggelengkan kepala. Isyarat penyangkalan. Lastri terkekeh, melihat muka anak gadisnya yang memerah.

"Jangan bercanda, dong, Bu! Gak lucu ...."

Leony merasa itu benar-benar tidak mungkin. Sedikit kesal ketika Lastri terlihat masih terkekeh, menertawai ekspresinya.

"Siapa yang bercanda, sih? Serius! Waktu itu kamu masih di rumah sakit, Mbak, masih koma. Nak Ikhsan kelihatan banget kalau khawatir. Bolak-balik ke rumah sakit, sampai waktu liburnya dihabisin di rumah sakit buat jagain kamu. Bahkan dia juga yang ngurus surat BPJS segala macam. Ibu jadi ngerasa beruntung banget ada Nak Ikhsan. Sampai pernah ibu minta dia pulang, tapi dia bilang percuma di rumah bakalan kepikiran keadaanmu terus. Duuh, ibu jadi terharu, sampai kemudian dia menceritakan semuanya pada ibu." Lastri berhenti untuk mengambil napas sambil mengusap pipi anak gadisnya yang kini menatapnya dengan mata yang mulai berkaca.

"Nak Ikhsan pengen jagain kamu, Mbak. Itu alasannya saat dia 'memintamu' pada ibu. Dia ingin usahanya itu ada di jalan dan cara yang benar agar jadi halal, bukannya dosa."

Lastri memainkan jemari Leony alih-alih menggenggamnya.

"Kenapa, Bu? Masih ada hubungannya dengan mimpi? Apa alasannya sampai harus seperti itu?" Leony menatap ibunya sekali lagi dengan pandangan yang senada. 'Tak percaya'. Meski begitu dia tak bisa menahan bulir bening dari matanya mendengar penuturan ibunya tentang apa yang terjadi selama dia 'tertidur'.

"Ada baiknya biar dia sendiri yang bercerita. Ibu pun hanya diberi tahu garis besarnya." Lastri menghela napas sambil membelai rambut anaknya dengan pikiran yang berputar-putar.

"Terus, aku harus bagaimana, Bu? Kak Ikhsan tak pernah berkata apa pun. Bahkan tak pernah menunjukkan jika dia suka, atau apalah yang mengartikan seperti itu. Aku terlalu malu untuk bertanya." Leony benar-benar tak tahu, dan kepalanya terasa buntu, berbeda dengan air mata yang justru enggan berhenti mengaliri pipinya yang memucat, satu-satu.

"Kamu juga suka kan, Mbak, sama Nak Ikhsan? Ibu tahu meski Mbak gak pernah bilang. Ibu rasa pun, Nak Ikhsan juga suka, dia sangat perhatian." Lastri mengusap punggung anaknya yang masih berusaha menenangkan gejolak di hatinya.

"Tapi Kak Ikhsan sudah dua hari gak datang. Takutnya dia marah." Leony memelankan suaranya seperti sedang bergumam. Namun Lastri mendengarnya. Senyumnya terkulum seolah sedang menggoda anaknya.

"Kalian gak berantem, kan? Katanya gak ada apa-apa kok pake berantem. Kalian tuh, lucu." Lastri bangkit meninggalkan Leony yang terdiam sambil mengamati, gambar bunga di seprainya. Baru ini dia memperhatikan jika kain penutup alas tidurnya bergambar bunga anggrek biru.

Ternyata indah juga, ya.

***

[06:30] Leony, apa kabar?

Sebuah pesan dari Ikhsan mengejutkan paginya.

[06:31] Alhamdulillah, baik, Kak.

Leony hendak balas menanyakan kabar namun segera diurungkannya, menghapus beberapa kata dan hanya menjawab pertanyaan saja.

[06:31] Nanti sore aku ke rumah, ya. Ada sesuatu yang pengen aku omongin.

Balasan dari Ikhsan mulai membuat hatinya berkecamuk. Antara senang, juga bingung, karena Leony masih belum memutuskan bagaimana dia hendak bersikap nanti. Dia menyerahkan semuanya pada Allah. Biar Allah saja nanti yang membantunya. Leony malas berpikir terlalu riuh di kepala.

[06:32] Ya, Kak

Hanya itu yang mampu dia kirimkan. Ikhsan membalasnya dengan emot jempol.

Kak Ikhsan mau datang, aku harus pakai baju apa? Haiissshh, padahal cuma datang, bukan kencan. Astaga ... Leony! Please, kelarin dulu semuanya sampai jelas.

Yang warna biru atau merah hati, ya? Atau krem aja, lebih natural.

Empat Puluh Dua

"Kakak mau ngomong apa?" Leony bertanya sesaat seorang *waitress* kembali ke dalam usai mengulangi membaca pesanan mereka lalu berjanji akan membawakannya segera.

Mereka sedang berada di kafe dekat taman. Tidak terlalu besar namun cukup nyaman. Suasananya yang tenang diharapkan bisa menjadi pengiring pembicaraan mereka, tentang masa depan.

"Ibu sudah bercerita padamu, kan?" Ikhsan balik bertanya, untuk memastikan jika dia tak akan mengulang membicarakan hal yang sudah diketahui Leony.

Hanya saja tentang kejadian di masa lalunya ... Ikhsan memilih untuk menyimpannya dulu, sampai dia benar-benar yakin jika Leony sudah aman, bersamanya.

"Sudah ... sebagian. Ada hal yang saya gak paham, Kak. Kenapa?" Leony berbicara dengan nada rendah, seolah dia sendiri tak yakin dengan apa yang keluar dari mulutnya. Kenyataan Ikhsan tiba-tiba begitu perhatian itu sangat mengganggunya.

"Andai aku bisa memuaskanmu dengan jawaban yang kau inginkan, aku akan dengan senang hati melakukannya. Karena aku pun tak tahu." Ikhsan menunduk sambil mengetuk-ngetuk meja dengan ujung kuku. Untunglah tak ada bunyi yang mengganggu, karena ternyata kukunya begitu pendek, tak mengeluarkan bunyi yang diharapkan. Ikhsan menghela napas panjang.

"Tentang mimpi, boleh saya tahu, Kak? Mimpi seperti apa?" Leony masih berusaha untuk membuat semuanya tampak masuk akal baginya. Namun lagi-lagi Ikhsan menggeleng.

"Aku rasa bukan ide yang bagus untuk menceritakannya. Sepanjang yang kuingat itu mengerikan. Aku tak ingin menceritakannya padamu, setidaknya bukan sekarang.

Mungkin kamu bisa saja ketakutan usai mendengarnya. Setelah itu kamu akan menganggapku lebih aneh. Seperti yang sudah kamu lakukan." Ikhsan melirik Leony sekilas.

Mendengar itu Leony nampak salah tingkah. Dia berkali-kali berdeham sambil mengalihkan pandangan seolah tak mendengar. Entahlah … tiba-tiba tenggorokannya terasa kering.

Ikhsan menaikkan ujung mulutnya hingga tergambar lengkung tipis melihat ekspresi gadis di depannya ini. Baginya itu sebuah pengakuan jika apa yang diduganya selama ini benar. Leony menganggapnya aneh.

Bisa dimaklumi. Sepanjang kehidupannya Ikhsan dikenal sebagai pribadi cuek yang tak terlalu peduli dengan urusan orang lain. Tapi dia tipe orang yang akan dengan segera menolong orang yang sedang tertimpa sesuatu, lalu pergi tanpa membicarakannya lagi.

Dia bahkan terkesan 'dingin' terhadap kawan-kawan wanitanya. Bukan tak suka, dia hanya berusaha menjaga jarak. Tak ingin terlalu dekat dengan siapa pun, karena itu sama saja memberi kesempatan bagi orang lain untuk bisa melukainya lebih dalam. Itu yang dipelajarinya.

"Bukan begitu, Kak." Leony buru-buru menyesap minuman mocha latte yang baru saja datang, karena mendadak tenggorokannya terasa kering. "Saya hanya ingin tahu, agar semuanya bisa masuk akal." Lanjutnya lagi.

Sebenarnya ada hal lain yang lebih membuatnya penasaran, meskipun pertanyaan itu takkan pernah lolos keluar dari mulutnya, setidaknya sebelum dia selesai mempertimbangkannya, dan itu butuh waktu yang teramat panjang. Dia sangat ingin tahu, apakah Ikhsan-sekali saja-pernah menyukainya?

"Tak ada yang masuk akal, Leony. Bahkan mimpi itu datang jauh sebelum aku ketemu kamu. Sedangkan aku, dan kupastikan kita, *by any chance*, belum pernah bertemu sebelumnya. Iya, kan? Menurutmu, mana yang bisa dibilang masuk akal soal itu?" Kalimat sarkas Ikhsan membuat Leony tak mampu membantah.

"Lalu saya harus bagaimana, Kak?" Leony bertanya masih dengan nada gamang yang dia sendiri tak yakin harus berkata apa. Leony sungguh bingung.

"Jadilah istriku."

Empat Puluh Tiga

"Jadilah istriku."

Kata-katanya lembut namun begitu menuntut. Memaksa Leony untuk sesaat terhenyak, kepalanya sedang mencari kata-kata yang pantas untuk membalasnya, namun seperti laci-laci yang ditarik lepas, penyimpanannya kacau, hingga isinya berhamburan keluar.

"Aku tahu, seharusnya ini bisa jadi hal yang romantis bagi banyak gadis di luar sana. Sementara aku tak bisa memberikannya padamu karena kita memang tidak sedang menjalani masa-masa indah sebelum itu. Terus terang, teror ini sangat mengganggu, izinkan aku sedikit lebih tenang dengan menjagamu di sisiku, sebagai istriku."

Memang, ungkapan keinginan Ikhsan tak bisa dibilang romantis, namun siapa bisa menyangka, jika itu justru yang membuat mata Leony berkaca-kaca.

Siapa yang butuh kata-kata romantis? Leony hanya perlu melihat kesungguhan yang teramat jujur dari laki-laki yang sempat membuatnya kacau beberapa waktu lalu. Bagi gadis itu—*yang kini sedang berjuang menahan bulir yang mulai memenuhi kelopak matanya agar tak buru-buru jatuh sebelum dia sempat berkata-kata*—mengetahui bahwa ada seseorang yang begitu ingin berjaga di sisinya adalah hal teromantis yang pernah dia dengar.

Meski begitu, Leony tetap saja wanita, yang masih saja ingin tahu apakah laki-laki yang ingin menjadikannya istri itu—*dengan alasan yang sedikit di luar nalar*—benarkah tak sekali pun mencintainya.

Tapi lagi-lagi itu ditepikannya dulu, masih ada waktu untuk mencari tahu. Cinta sejati bukan hanya yang lewat hati, tapi lebih kepada segala tindakan yang mencerminkannya, dan

Ikhsan sudah melampauinya. Meski begitu, Leony akan merasa sangat aneh jika dia menerimanya begitu saja.

"Bagaimana bisa, Kak? Tiba-tiba...?" Hatinya sedang banyak warna, sedangkan kosakata di kepalanya seolah sedang tidak berada di tempat. Ikhsan terlihat menarik napas panjang lalu membuangnya dengan cepat.

"Kamu pikir ini tiba-tiba? Kamu lupa, kita mengenal sudah berapa bulan. Dan aku sudah diteror mimpi tentang kamu jauh sebelum itu."

Ikhsan berhenti sejenak. Seolah sedang berunding dengan hatinya yang dari tadi sudah bergejolak.

"Kalau aku bilang cinta, mungkin bagimu akan terdengar aneh dan menggelikan."

Leony menunduk, dia benar-benar tak tahu harus bersikap bagaimana mendengar Ikhsan berbicara dengan suara tertahan.

"Apakah usahaku selama ini tidak terlihat nyata bagimu? Jika segala ketakutanku atas keselamatanmu, segala kekhawatiranku perihal keadaanmu, jika semua kerepotan dan jungkir balik di dada dan pikiranku bisa disebut cinta, maka jadilah. Aku mencintaimu. Sangat."

Ikhsan kembali menarik napas, lalu kembali menghembuskannya sekaligus.

Di satu sisi Leony seperti bisa melompat di udara. Rasa lega bercampur bahagia sedang berebut tempat di dadanya.

Siapa yang tahu, jika kepalanya yang menunduk sedang menyembunyikan rona merah yang menjalari wajahnya? Dia hanya berharap Ikhsan tak terlalu memperhatikannya.

Tapi di sisi lain, Leony masih memerlukan hal yang lebih dari sekadar kata-kata peduli. Hal yang lebih kokoh dari sekadar janji.

"Aku sudah pernah 'meminta'mu pada ibu. Ibu bilang menyerahkan semua keputusan padamu. Sekarang aku akan menanyakannya," Ikhsan melanjutkan dengan suara yang lebih tenang.

Untuk yang kesekian kali, laki-laki itu menghela napas panjang sebelum kembali bicara. Badannya sedikit condong ke depan, berharap bisa melihat ekspresi Leony saat dia mengatakan kata-kata yang sudah dilatihnya sejak lama.

"Boleh aku menikahimu?"

Empat Puluh Empat

"Leony! Kangeeenn!" Prita memeluk gadis yang baru saja memasuki Café Destiny. Mereka berpelukan ala Tele-tubbies sambil menggoyangkan badan ke kiri dan kanan.

Leony terharu. Seperti sebuah keajaiban dia bisa kembali ke tempat ini dalam keadaan sehat. Tempat yang penuh cerita, hingga dia bisa bertemu orang-orang yang kemudian kelak menjadi bagian di perjalanan kisahnya.

"Kamu udah gak terlihat kurus. Agak 'seger'an. Ikhsan pasti telaten banget ngerawat kamu." Prita menangkupkan tangannya di wajah Leony.

"Apaan sih, Kak. Nanya kabar, kek. Ngapain aja selama di rumah, ini malah ngomongin yang lain," gerutu Leony sambil melepaskan diri dari tangan Prita. Wajahnya memerah.

Prita tergelak.

"Haiissh. Kenyataan, kok." Prita masih tertawa lebar sambil mengelus perutnya yang membuncit. "Dilarang ngomel, nanti keponakannya dengar," katanya lagi sambil menjulurkan ujung lidahnya ke arah Leony.

Leony seketika menutup mulutnya, usaha untuk mencegahnya mengatakan kata-kata yang bisa terdengar buruk di telinga tak berdosa

"Hai, keponakan! Baik-baik, ya di situ. Udah berapa bulan, Kak?" tanya Leony sambil mengelus perut Prita.

"Kenapa? Udah gak sabar pengen ngajakin ke taman?" Wajah usil Prita mulai menggodanya. Leony hanya melirik berlagak sinis.

"Diih, siapa juga yang mau ngajakin ke taman. Keenakan dong, mamanya bisa pacaran sama papa baru." Kalimat Leony sukses membuat Prita kembali tergelak.

"Wah, Leony sudah datang. Selamat datang lagi, ya. Kamu beneran sudah sehat?" Deni tiba-tiba muncul dari ruang loker, menghentikan tawa keduanya dengan tiba-tiba. Masih dengan pesonanya yang menjulang, meski tidak sejutek dulu.

"Eh, iya, Kak. Alhamdulillah. Maaf, sudah merepotkan, ninggalin kerjaan lama. Terima kasih, Kak. Mau ganti seragam dulu, permisi." Leony buru-buru melesat ke ruang loker. Dia berharap Deni tak mendengar kalimat candaannya ke Prita.

Bukan apa-apa. Bagaimanapun juga Deni adalah kaptennya. Dia sangat menghormati sosok yang dulu sempat jadi idola pujaannya itu, sebelum ... seseorang menggantikan tempatnya. Karena itu dia agak malu sekarang jika membayangkan seperti apa dia dulu.

Leony kembali menarik napas panjang. Ingatannya kembali pada saat Ikhsan menceritakan perihal Prita.

Prita ternyata adalah kembaran dari Delia, teman masa kecil Ikhsan yang pernah dia ceritakan sebelumnya. Nasib membawanya terjebak dalam pernikahan bak neraka.

Prita menikah dengan kekasih tercinta, sayangnya itu tak berhasil baik. Bahkan tak hanya sekali Prita menjadi korban KDRT dari orang yang katanya mencintainya itu.

Saat pemukulan terakhir itulah dia bertemu Ikhsan. Ikhsan pula yang mengantarkannya ke IGD. Bahkan melayangkan beberapa bogem mentah ke arah suami Prita kala marah-marah dan memaki-maki Prita yang sedang kesakitan dan penuh lebam dengan kata-kata terburuk yang pernah diucapkan manusia yang pernah menjadikannya pasangan hidup.

Dengan berbekal hasil visum, Prita berhasil menggugat cerai suaminya. Ikhsan pula yang membantunya mendapat pekerjaan di Café Destiny. Lagi pula Prita punya kemampuan yang memang sangat dibutuhkan kala itu.

Kemudian seperti yang diketahui Leony, Prita kembali bertemu dengan mantan suaminya ketika Ikhsan sedang bersamanya, hingga Prita terhindar dari serangan manusia jahanam itu.

"Aku hanya membayar apa yang tak sempat aku lakukan untuk Delia," begitu penjelasan Ikhsan padanya kala itu.

Dia pun baru tahu ketika Prita pingsan beberapa waktu yang lalu, bahwa kembaran Delia itu sedang mengandung milik mantan suaminya. Meski begitu Prita tak sudi kembali.

Deni yang memang menaruh perhatian khusus pada Prita bukannya menjauh, tapi seolah menjadikan bahunya untuk Prita bersandar dengan sepenuh hati. Dia bersedia menunggu sampai Prita melahirkan, baru dia bisa menikahi perempuan pujaannya itu.

"Dan lucunya, kamu cemburu. Menurutku itu menarik. Pertama kalinya aku melihat seseorang yang cemburu tapi terlihat menggelikan." Ingatan tentang kata-kata Ikhsan kala itu membuat Leony senyum-senyum.

"Leonyyyy!!"

Empat Puluh Lima

"Leonyyy! Alhamdulillah, akhirnya kamu masuk lagi!" Teriakan Robi menariknya paksa dari ingatan tak bertepi. Laki-laki itu kini menggenggam kedua tangan Leony dan menggoyang-goyangkannya seolah boneka balon penyambut di depan toko ponsel.

"Haaiii!! Aku juga senang bisa balik kemari. Bilang aja kamu kesepian gak ada aku, gak bisa gosip." Seloroh Leony sambil meninju bahu Robi.

"Hussshh! Enak aja, bukan gosip, tapi fakta!" sanggahnya sambil tertawa.

Kiara resmi mengundurkan diri dengan alasan pribadi seminggu yang lalu. Namun sepertinya tak ada yang penasaran dan bertanya mengenai penyebabnya. Atau mungkin semua tahu, tapi memilih tak membicarakannya, karena tetap saja itu hal yang menyedihkan untuk dibicarakan. *Patah hati*.

Seperti yang terlihat. Seseorang sudah menggantikan tempatnya, tiga hari yang lalu. Seorang gadis dengan senyuman manis lengkap dengan lesung pipit di kedua pipinya. Sedikit tomboy dengan rambut pendek, terlihat menyenangkan.

Hari itu dia masuk shift pagi dan segera saja mengulurkan tangan kala melihat Leony.

"Halo, Kak. Aku Ima. Baru kerja tiga hari. Mohon bimbingannya!" Dia mengucapkan kalimat itu dengan wajah berbinar yang menarik. Leony menyambut uluran tangan gadis itu dan menjabatnya erat.

"Hai! Aku Leony. Semoga betah, ya. Jangan sungkan kalau mau tanya-tanya."

"Malu bertanya sesat di kerjaan," Robi menyahut sambil lewat saat membawa piring kotor. Ima tertawa, lagi-lagi memperlihatkan dekik manis di pipinya.

"Rob, terima dulu tuh, ada kiriman air kemasan, saya ganti seragam dulu." Entah dari mana datangnya tiba-tiba suara itu berada dekat di telinga Leony.

"Siaap!" Robi segera menuju pintu samping untuk melaksanakan instruksi Ikhsan.

Ikhsan menyentuh punggung Leony sekilas dan itu sukses membuat jantung gadis itu berdetak lebih cepat. Untuk menyembunyikannya dia buru-buru menyibukkan diri dengan mengecek kembali set up yang masih rapi sejak setengah jam yang lalu.

Leony masih belum terbiasa mendapatkan perhatian apa pun dari siapa pun. Dia hanya teramat malu. Apalagi ini Ikhsan. Laki-laki yang ....

"Jadi kapan kalian nikah?" Tiba-tiba Prita sudah berdiri di samping Leony sambil melipat lengan di dadanya.

"Haiis, apaan sih, Kak." Leony menepiskan tangannya ke udara seolah dengan begitu kegugupannya akan ikut terbang.

"Diiih, tiap kali aku tanya Ikhsan bilangnya suruh nanya kamu. Jangan kelamaan. Ini limited edition. Belum tentu kamu nemuin lagi model beginian." Prita tak bisa menahan diri untuk tidak terkekeh.

"Ih, apaan sih, Kak? Emangnya barang antik." Leony bersemu merah. Wajahnya memanas. Prita tak bisa meneruskan menggoda Leony karena ada rombongan tamu yang berjalan masuk menuju *lounge*.

Leony tak menyia-nyiakan kesempatan untuk kabur dan menyibukkan diri dengan pekerjaan.

Dia masih trauma membuang sampah di belakang. Namun sepertinya Ikhsan akan memastikan dia tak perlu melakukannya. Seperti kali ini, keranjang sampah sudah terlihat baru diganti. Meskipun area belakang sudah relatif aman karena lebih tertutup dengan pagar tinggi. Mungkin suatu hari, tidak sekarang.

Tak lama kemudian Netty dan Soleh datang nyaris bersamaan, mengulang kehebohan yang sama ketika melihat keberadaan Leony di sana. Terutama Netty.

"Duuh, banyak perkembangan selama kamu gak ada. Kiara tiba-tiba resign setelah curhat semalaman sampai nangis-nangis. Yaa aku bisa apa, kejadiannya emang gitu. Kak Deni kan sejak awal emang gak ada rasa, dianya aja yang kecentilan. Aku juga bilang gitu, sih, ke dia. Tapi biasalah, orang kalo lagi jatuh cinta tuh bawaannya memang buta dan tuli." Netty bicara panjang lebar usai menarik Leony untuk mengikutinya mengganti seragam di ruang loker. "Tapi dia cantik, bakalan cepat move on nanti kalau ada yang suka ama dia," ujarnya lagi.

"Yah, wajarlah. Siapa juga yang gak naksir Kak Deni. Orangnya tinggi, cool, tegas dan berwibawa. Cakep pula," Leony menimpali sambil bersandar di pintu masuk ruang loker.

Namun mendadak dadanya seolah berhenti berdetak ketika Ikhsan berjalan melewatinya sambil menoleh ke arahnya, tersenyum tipis. Bagi Leony itu seperti kilatan sihir yang mampu membuatnya beku beberapa saat hingga tanpa sadar dia menutup mulutnya, meskipun sangat terlambat.

Apakah dia mendengarnya?

Empat Puluh Enam

Apakah dia mendengarnya?

Leony tak bisa berhenti memikirkan kemungkinan itu sampai dia selesai berganti baju dan bersiap pulang.

Dilihatnya Deni menggandeng Prita mesra. Mereka terlihat lebih terbuka dan menikmati kedekatan mereka selama perusahaan tidak mempermasalahkan dan mereka masih menjaga profesionalitas di tempat kerja.

"Tio sudah menunggu di parkiran. Hati-hati, ya. Pulang kerja nanti aku telepon." Tiba-tiba Ikhsan sudah di sampingnya. Leony yang terkejut sampai terbatuk.

"Uhuk ... uhuk. I-iya, Kak." Mukanya merah padam. "Nanti ... gak mampir?" Leony meneliti wajah Ikhsan, mencari ekspresi kesal yang mungkin saja ada. Namun nihil. Ikhsan malah melengkungkan bibirnya.

"Kamu mau aku mampir?" Ikhsan balik bertanya dengan senyum lebar sampai terkekeh, lalu meletakkan telapak tangannya di kepala Leony. "Ini pertama kali kamu kerja setelah istirahat lama. Jadi kamu pasti capek. Masih ada waktu. Besok kan kita satu shift. Besok aku ke rumah, kita berangkat kerja bareng." Ibu jarinya mengusap kening Leony dengan lembut, selembut tatapannya yang mengunci debar di hati Leony sekarang.

"Ya udah, aku pulang." Leony hendak melangkah tapi urung. Lalu berbalik menghadap Ikhsan yang masih menatapnya dengan pandangan lembut.

"Apa lagi?" tanya Ikhsan menahan lengkung di bibirnya makin lebar. Dia melihat Leony sedang grogi tingkat parah.

"Gak jadi. Aku pulang!" Leon kembali melambai kali ini setengah berlari menuju Tio yang mungkin sedang melatih omelannya untuk kakaknya yang membiarkannya menunggu lama.

Sabar Tio, Mbakmu lagi ngumpulin bunga-bunga yang bertebaran sepanjang parkiran.

***

Dua bulan berlalu. Hari ini langit terlihat cerah. Leony menatap bungkusan map yang dibawanya. Ingatannya kembali saat menanyakan apakah Ikhsan sempat mendengar perkataannya tentang kekagumannya pada Deni, dan apakah itu mengganggunya?

"Jika saja aku tak tahu isi hatimu, bisa jadi aku akan uring-uringan mendengarnya. Tapi aku tahu hatimu, karena aku sudah menggenggam kucinya. Jadi itu bukan lagi hal yang harus dikhawatirkan. Lihat saja, aku akan membuatmu segera lupa pernah sekagum itu padanya.

Lagian, kita dipertemukan oleh takdir. Bahkan Destiny menjadi bagian dari takdir kita. Siapa yang bisa menyangkal jika kemudian aku harus memenuhi takdir untuk menjadi pendamping hidupmu sekaligus menjadikanmu penjamin bahagiaku."

Leony tersenyum. Menertawakan dirinya yang begitu naif. Namun dia tak mengelak jika kekaguman itu yang mengantarkannya pada sosok calon suaminya sekarang.

Dua minggu lagi mereka akan menikah. Mengingat fakta itu membuat wajah Leony lagi-lagi memerah.

"Undangannya gak kelupaan, kan?" Ikhsan mengambil bungkusan dari tangan Leony.

"Nggak, dong. Sudah lengkap," Leony meyakinkan.

"Yuk!" Ikhsan merengkuh bahu calon istrinya itu lalu membimbingnya untuk berjalan bersama.

Bahagia tergambar jelas di wajah keduanya. Membayangkan hari-hari bersama dengan sosok tercinta memang membawa semangat yang luar biasa.

Seperti halnya Leony yang berbunga-bunga, Ikhsan pun lega bisa menjaga Leony sebagai pasangan hidupnya. Dia mencintainya. *Sangat.*

Ikhsan teramat lega ketika mimpi buruk tentang Leony sudah tak lagi mendatanginya.

Hingga kemarin malam, mimpi itu kembali hadir namun dengan kisah berbeda. Kali ini bukan Leony yang berdarah. Dia melihat dirinya sendiri, berdarah di pangkuan Leony yang meraung meratapinya.

Sudah jelas itu meresahkan, tapi Ikhsan menyimpannya. Menyadari keberadaan Leony yang membuatnya bahagia, mengharuskannya menelan sendiri segala cemas yang membenih di hatinya. Dia ingin Leony selalu tersenyum, seperti sekarang.

"Aku juga akan menjagamu, Kak. Tak akan kubiarkan siapapun menyakitimu. Bahkan jika itu takdir. Aku akan membuatnya memilihku juga, menemanimu." Leony mengatakan kalimat itu begitu saja. Ikhsan terhenyak, menoleh penuh tanya ke arah Leony yang tersenyum sumringah.

Leony hanya menggamit lengan kekasihnya itu sambil melangkah. Lalu menggayut mesra membuat Ikhsan tak lagi ingin bertanya.

Mereka hanya menjalani takdir. Dengan saling menguatkan genggam, berharap mendung tak segera datang, karena langkah baru saja diayunkan.

Ikhsan menguatkan hatinya.

Apapun yang terjadi biarlah terjadi. Aku sudah bahagia seperti ini, tak ingin lebih.

Leony tak henti menatap wajah penjaga sekaligus calon pendamping hidup yang begitu dicintainya itu dengan senyum nyaris sempurna.

Mimpi itu juga mendatangiku, Kak. Aku tahu semuanya.

The End

Patih, 16 Maret 2023 16.17

Tentang Penulis

Vi Vone merupakan nama pena dari **Vonny Agusetiyawati**, perempuan yang lahir di Gresik, besar di Surabaya, dan kini bertempat tinggal di tanah kelahirannya, Gresik. Seorang ibu rumah tangga yang mempunyai kesenangan menulis beberapa tahun belakangan ini. Dia menyebut dirinya sebagai Penyintas Senggang. Tiga buku antologi puisi bersama para sahabat literasi di dunia virtual.

Café Destiny merupakan novel kedua setelah *Hoodie*.

Milton Keynes UK
Ingram Content Group UK Ltd.
UKHW010705240424
441619UK00004B/285

9 798224 898404